KB016068

숨
쉬는 소
　　 설

숨 쉬는 소설

초판 1쇄 발행 2021년 8월 27일
초판 8쇄 발행 2024년 4월 8일

지은이 • 최진영 김기창 김중혁 김애란 임솔아 이상욱 조시현 배명훈
엮은이 • 곽기영 권태윤 김욱 이승영 정수진 최미진
펴낸이 • 김종곤
편집 • 김나은 최윤영
조판 • 이주니
펴낸곳 • (주)창비교육
등록 • 2014년 6월 20일 제2014-000183호
주소 • 04004 서울특별시 마포구 월드컵로12길 7
전화 • 1833-7247
팩스 • 영업 070-4838-4938 | 편집 02-6949-0953
홈페이지 • www.changbiedu.com
전자우편 • contents@changbi.com

ⓒ 최진영 김기창 김중혁 김애란 임솔아 이상욱 조시현 배명훈 2021
ISBN   979-11-6570-081-2 43810

숨 쉬는 소설

최진영　김기창

김중혁　김애란

임솔아　이상욱

조시현　배명훈

창비

푸른 숨결과 생태 감수성이 가득한 지구를 꿈꾸며

우리는 생명이 위협받는 시대에 살고 있습니다. 이윤을 좇고 삶의 편리를 도모하기 위하여 인간은 자연을 파헤쳤고, 거기 살던 생명을 몰아냈습니다. 한쪽에서는 인간 중심의 가치관을 버리고 생태계의 일원으로서 인간의 위치를 재정립해야 한다는 목소리가 나오기도 했습니다. 하지만 여전히 인간은 크게 달라진 것 없이 인간 위주의 삶을 살아갑니다.

이 땅에 뒤이어 올 사람들에게 우리는 큰 빚을 남기고 있습니다. 땅도, 대기도, 바다도 오염되어 황폐해지고 있습니다. 인간의 편리함을 위해 만든 플라스틱이 돌고 돌아 결국 인간의 몸을 해치는 상황도 발생합니다.

우리는 기성세대는 물론이고, 앞으로 지구의 주축이 될 미래 세대와 생명에 관한 이야기를 나누고 싶었습니다. 우리는 제대로 숨 쉬며 살아가는가? 우리의 생명과 삶은 온전한가? 생명이 안전하게 살아 숨 쉬는 세상을 누리려면 어떤 부분을 되짚어 봐야 하는가? 우리가 함께 바꿀 수 있는 것은 무엇인가?

국어 교사로 일하는 엮은이들은 소설을 통해 이 시대의 화두와 만나는 방식을 고민해 보았습니다. 어설픈 해법을 제안하는 것보다는 생각을 넓히고 고민할 부분들을 짚어 보는 것이 더 중요하다고 생각했고, 우리의 삶을 그려 낸 이야기들을 통해 생태·환경, 생명의 문제들을 살펴보고 싶었기 때문입니다. 작품을 찾고 모으는 과정에서 오늘의 문학은 오늘의 지구를 단편적으로 다루지 않는다는 점을 확인할 수 있었습니다.

생태·환경의 문제가 인간의 삶과 맞물려 빚어내는 다양한 모습들에 주목하면서 오늘의 작가들은 새로운 상상력을 선보이고 있었습니다. 괜찮지 않다는 것을 알면서도 독성 화학 물질을 쓰는 인간들의 갈등을 표현하기도 했고, 선택할 수 없는 범위에서 일어난 변화로 생존 위기에 내몰린 북극 생명들의 목소리를 담기도 했습니다. 썩는 것과 썩지 않는 것의 경계를 배회하며 내장 속에 플라스틱을 들여놓고 사는 지구인을 보여 주기도 했습니다.

곁에 둔 생명을 제대로 '반려'로 대하고 있는지 질문을 던지기도 했고, 인간의 몸이 지닌 가치를 성찰하기도 했으며, 다른 종족을 식량화하는 육식 문화와 약육강식 시스템을 비틀어 보기도 했습니다. 인간의 몸이 산업 쓰레기로 분류되어 지구로부터 거부당하는 미래, 광활한 상상력으로 파도 하나까지 기억하는 조개를 그려 내기도 했습니다.

이렇게 서로 다른 곳에서 빛을 발하던 작품들이 모여 우리의 시야에서 함께 빛나게 되었습니다. 소설 읽기의 시간이 우리의 마음을 생명 가까이에 머물게 해 주리라 믿습니다.

좋은 작품을 세상에 내놓고 이 책에 수록할 수 있게 허락해 주신 작가님들, 엮은이들의 작업에 생동감을 더해 주신 편집부에 감사드립니다.

당신의 따스한 숨결이 있어 지구는 아름답습니다.

2021년 여름
엮은이들의 숨결을 모아

차
례

최진영

2006년 『실천문학』 신인상을 받으며 작품 활동을 시작했다. 소설집 『팽이』, 『겨울방학』, 장편 소설 『당신 옆을 스쳐간 그 소녀의 이름은』, 『구의 증명』, 『해가 지는 곳으로』, 『이제야 언니에게』, 『내가 되는 꿈』 등을 썼다. 만해문학상, 백신애문학상, 신동엽문학상, 한겨레문학상 등을 수상했다.

01

돌
담

기차역에서 고향 집까지 천천히 걸어오는 동안 먼 산이 검어졌다. 대문을 열고 마당에 들어서자 집의 창도 산처럼 검었다. 엄마에게 전화를 걸어 나 집에 왔다고, 엄마는 어디 있느냐고 물었다. 엄마는 밥에 집이, 아니 집에 밥이 없을 거라고, 냉장고 문에 전화번호가 붙어 있을 테니 그 번호로 전화해서 치킨을 시켜 놓으라고 했다.

엄마는 어딘데.

나는 가는 길이야.

어디를?

집에.

언제 오는데?

치킨보다 먼저 간다.

전화를 끊고 치킨 가게에 전화를 걸었다. 통화 대기음이 오래 울렸다. 끊으려 할 때 목소리가 들렸다.

네, 말씀하세요.

치킨집 맞나요?

네, 말씀하세요.

지금 배달하시나요?

네, 거기가 어딘데요.

여기 문주로 8번길 10 다시…….

그렇게 말하면 우리는 몰라요.

네?

그렇게 말하면 우리는 못 찾아가.

제가 방금 주소를…….

그런 거 말고 그 집의 특징을 말해야지.

나는 당황해서 집을 둘러봤다. 흔한 골목길 중간에 있는 뻔한 단층 가옥. 이 집의 고유한 특징이라곤 주소뿐인데.

여기 대문이 파란색이고요.

…….

기찻길 뒷동네인데요. 대촌 올라가는 방향으로요. 앞집에 돌담이 있는데…….

돌담집요?

네. 돌담 뒷집이에요.

돌담집이면 파란색 대문이고 뭐고 거기 뒤에는 집이 없는데?

아니요. 여기 집 많은데. 이 골목에만 대여섯 채가 주르륵 있는데요.

그럼 그 집에는 뭐가 있어요?

나는 계속 당황했다. 치킨을 시키려면 우리 집에 뭐가 있는지 말해야 하나?

대문이 파란색이고 마당에 감나무가 있는데 그게 지금 잎이 다 떨어져서 누가 보더라도 저게 감나무인지…….

아, 감나무 집. 상고동 오 형제 맞은 집 그 집?

네?

거기 알지. 늘상 시키는 그걸로 가져가면 되지요?

그게…….

알았어요. 곧 갑니다.

정말 곧 왔다. 20분도 지나지 않아 환갑은 넘은 것 같은 남자가 자기 집처럼 태연히 대문을 열었다. 남자는 왼손에 헬멧을, 오른손에 치킨 봉지를 들고 마당을 가로질러 현관으로 걸어왔다.

이 집은 감나무 집이라고 여기 아줌마랑 내가 벌써 말을 맞춰 놨는데.

남자가 봉지를 건네주며 말했다. 치킨보다 먼저 올 거라던 엄마는 아직 오지 않았고, 나는 다 몰랐다. 여기 아줌마, 그러니까 우리 엄마가 치킨을 자주 시켜 먹는 것, 우리 집이 감나무 집이라는 것, 앞집에 아들이 다섯이라는 것도. 앞집에는 내 키보다 높은 돌담이 있고 진작부터 그 돌담이 무척 인상적이라고 생각했었다. 하지만 아까 남자가 전화로 말하길 그 집은 돌담집이 아니라 상고동 오 형제 집이다.

돌담 뒷집이라고 하면 아실 줄 알았어요.

여기 돌담은 저 아랫집에 대면 암것도 아니지. 저 밑에 어마어마한 돌담집이 있는데. 다음부터는 감나무 집이라고 하면 내가 딱 알아듣고서 이렇게 옵니다. 맛있게 들어요!

남자는 한 손을 번쩍 들어 보이면서 대문을 닫고 나갔다. 멀어지는 오토바이 소리를 들으며 봉지를 열어 봤다. 엄마가 늘 시킨다는 그거는 간장 치킨이었다.

그리고 엄마가 왔다. 엄마가 말하길 앞집 돌담은 그 집 할아버지가 쌓은 건데, 중학교 수학 선생이었던 할아버지는 퇴직한 다음 날부터 강과 산을 돌아다니며 돌을 주워 와 시멘트도 바르지 않고 돌담을 쌓았다고 했다. 오래 걸릴 줄 알았는데 한 계절도 채 걸리지 않았다고, 퇴직하고 마음이 허전하니까 담을 쌓은 거라고 했다.

그럼 그다음엔?

응?

담을 다 쌓고 그다음에는 허전한 마음을 어떻게 하셨대?

그런 걸 어떻게 할 수는 없는 거고, 익숙해지는 과정이 필요한 거지. 그러다 보면 이것저것 섞여서 본래 마음에 가까워지는 거지.

본래 마음이 뭔데.

그건…… 바다 같은 거지.

바다?

바다에는 고래도 상어도 있고 꽁치도 해파리도 있고 미역도 있고 플랑크톤가 그것도 있는 거 아니냐. 다 같이 섞여서…….

엄마 요즘…… 뭐 배우는 거 있어?

뭔 소리냐.

엄마 말이…… 뭔가 예전이랑은 다른 것 같으니까…….

BTN을 본다.

뭘 본다고?

넌 일은 어쩌고 왔냐. 휴가 썼어?

……그만뒀어.

엄마는 입에서 뼛조각을 빼내며 나를 빤히 쳐다봤다. 나는 시선을 피하며 흐리게 중얼거렸다.

나도 과정이 있어.

니가 나온 거야? 아님 잘린 거야?

근데 엄마 저 밑에 어마어마한 돌담집이 있어?

엄마는 주먹으로 가슴을 툭툭 치다가 콜라를 들이켰다. 회사 사람들에게 나는 입 속의 뼈 같은 존재였고 결국 나오는 수밖에 없었다. 그래도 퇴사는 가장 나중으로 미루고 싶었는데…… 부장이 나를 배신자로 몰면서 내게는 아무 일도 주지 말고 어떤 정보도 공유하지 말라고 사람들에게 명령하는 것을 보았을 때, 내게는 다음 정거장이 없음을 깨달았다. 가장 나중에 도착한 것이다. 엄마에게 그 과정을 다 말할 수는 없었다.

어린이용 장난감과 문구를 만드는 회사에서 4년 넘게 일했다. 사장의 남동생이 영업부장, 아내가 회계 팀장이고 아들은 상품 허가와 유통 담당이었으며 교외에 있는 공장은 처남이 운영했다. 사장 가족을 제외한 직원은 다섯 명에서 두어 명씩 늘거나 줄었는데, 모두 계약직으로 시작했고 2년 뒤 무기 계약직이 되거나 퇴사했다. 나는 사무실 구석 책상을 차지하고 앉아 상품 디자인과 자잘한 서류 업무를 도맡아 했다.

사장은 빼어난 디자인이나 창의력을 원하지 않았다. 무난한 디자인을 빠르게 뽑아내고 어떤 일에서건 상상력을 발휘하지 않길 원했다. 사장은 돌돌 만 신문을 들고 다니면서 매일 소리 질렀다. 누구한테든 생각 좀 하고 일하라고, 돈이 썩어 나냐고 말하면서 책상을 탕탕 치거나 문을 쾅쾅 닫았다. 뭘 묻는 걸 극단적으로 싫어하면서도 묻지도 않고 마음대로 일을 처리한다고 화를 냈다. 영업부장은 늘 술에 취한 사람처럼 보였다. 허풍을 떨다가도 갑자기 비굴해졌고 잠깐씩 음흉한 표정을 지었다. 회계 팀장은 매사 걱정이 많아서 잠시도 입을 다물지 못했다. 아들은 부모를 애정하고 증오하며 열심히 일했다.

입사했을 때 영업부장은 내게 '일머리가 제일 중요하다'고 말했다. '일머리가 없어서', '일머리가 나빠서', '일머리는 어따 팔아먹고' 같은 말을 하루에도 수십 번씩 들었다. '일머리'란 단어에 노이로제가 생겨서 그 말만 들으면 귀에서 뇌까지 벌레가 기어 다니는 것 같았다. 가족이 아닌 사원들은 묵묵했다. '안 됩니다', '잠깐만요', '곤란합니다' 같은 말은 거의 하지 않았다. 나보다 오래 일한 직원은 두 명이었다. 김 과장과 정 과장. 김 과장은 15년차였고 정 과장은 10년차였다. 사장은 그들을 대단히 신뢰하면서도 은근히 깔봤다. 그 두 가지 대우가 어떻게 공존할 수 있는지, 신뢰와 경멸의 배합으로 사람을 어떻게 단련시킬 수 있는지 그곳에서 조금 배웠다. 나는 단련되었던가? 모르겠다. 나는 나빠졌다. 매일 조금씩 나빠지다가 어느 순간 급격히 나빠졌다.

다음 날 엄마 몰래 담배를 피우러 나왔다가 즉흥적으로 어마어마한 돌담집을 찾아 걸었다. 치킨 가게 남자가 '저 아랫집'이라고 했던 것 같은데, 아래가 어느 쪽을 가리키는지 알 수 없어서 내키는 대로 방향을 잡았다. 골목을 빠져나가 기찻길을 왼편에 두고 걸었다. 겨울 바람이 쉼 없이 불었다. 나는 트레이닝 바지에 후드 티셔츠만 입고 슬리퍼를 신고 있었다. 오래 걸을 수 없는 상태였는데도 집으로 돌아가길 자꾸 미뤘다. 조금만 더 가 보자. 어마어마하다니까 멀리서도 알아볼 수 있겠지. 이상한 오기가 겨울바람처럼 내 등을 떠밀었다. 아니다. 이상할 것도 없이 그게 그냥 나다. 나는 자주 그런 식으로 걸었다. 길은 끝이 없다는 걸 알면서도, 끝이 없으니까, 지쳐 화날 때까지 걷다가 포기하는 사람.

눈보라가 불기 시작했다. 얼굴과 손발이 얼어 감각이 사라졌다. 무서울 정도로 추웠다. 휘청거리며 돌아설 수밖에 없었다.

　그쪽 아니고 반대쪽. 연못까지 가야 돌담이 보여.

　엄마가 말했다.

　저쪽에 연못이었던 데가 있어. 지금은 물이 없는데 얼마 전까지 물
이 있었어.

　나도 알아. 연못. 근데 물이 없다고?

　연못을 안다고?

　어릴 때 연못 근처에서 자주 놀았는데.

　거기서 놀았다고?

　응.

　왜?

　노는 데 뭔 이유야. 근데 연못에 왜 물이 없어?

　엄마가 멈칫했다.

　말랐을걸.

　못이 말라? 마르기도 해?

　말랐는지 어쨌는지…….

　엄마는 말끝을 흐리며 텔레비전으로 눈을 돌렸다. 저녁 예불이 끝
나 가고 있었다.

다음 날 운동화를 신고 점퍼를 입고 털모자에 목도리까지 두르고 집을 나섰다. 집에서 할 일도 없었고 서울로 올라가기도 싫었다. 가면 바로 구직을 시작해야 할 테고, 나는 분명 쫓길 것이다. 시간과 세금과 잔금과 기타 등등에. 일단 돌담을 보자. 얼마나 어마어마한지 보자. 그리고 다음을 생각하자. 이젠 말라 버렸다는 연못을 보고도 싶었다.

생각할 일이 없어 여태 잊고 살았지만 연못은 어린 시절 장미와 나의 아지트였다. 연못과 장미 집이 가까웠다. 장미의 풀 네임은 장미루. 열한 살부터 열두 살까지 우린 아주 친했다. 장미는 마당 넓은 이층집에 살았고 장미 부모는 과수원을 했다. 나는 장미 부모를 '땅 부자'로 알고 있었다. 누가 내게 그런 얘기를 해 주었을까? 모르겠다. 어쨌든 장미는 좋은 집에 살았다. 당시 우리 가족은 단층집 구석에 딸린 셋방에 살았다. 방은 한 칸뿐이었고 화장실은 바깥에 있었다. 욕실이 따로 없어 부엌에서 씻었다.

또래 아이들 중 열에 아홉은 재잘재잘 떠들고 이야기 지어내기 좋아했는데, 장미는 열에 하나에 속했다. 말수가 적었고 천천히 움직였고 편을 가르는 놀이를 싫어했다. 장미는 여섯 살 어린 동생을 무척 아꼈다. 같이 놀다가도 동생이 보고 싶다며 먼저 집에 가 버릴 때가 많았다. 다락방이 있는 이층집 쪽으로 서둘러 걸어가는 장미의 뒷모습을 보면서 나는 때로 놀라워했다. 저런 아이가 내 친구라니.

장미는 귀족이고 나는 하인인데 우리는 피로 맺은 사이여서 우리를 떼어 놓으려는 어른들의 방해와 음모를 함께 헤쳐 나가는 상상에 빠지기도 했다. 현실에서는 아무도 우리를 떼어 놓으려고 하지 않았다. 우리가 친한 사이라는 걸 어른들은 몰랐으니까. 알았더라도 무심했을 것이다. 자기 자식이 누구와 친한지, 하루 종일 뭘 하고 지내는지 관심을 가지는 어른은 없었다.

연못에서 놀다가 지루해지면 장미 집 마당으로 갔다. 장미 집에는 담도 대문도 없었다. 어른 허리 높이로 자란 사철나무가 담 대신 마당을 대충 둘러싸고 있었는데, 사철나무는 꼭 박제된 것처럼 더 자라지도 마르지도 않았다. 넓디넓은 마당 안쪽에 덩그러니 2층 가옥이 있었고, 마당 양옆으로 광활한 과수원이 펼쳐져 있었다. 장미는 종종 집에 들어가 물에 씻은 앵두나 청포도를 가지고 나왔다. 나는 흙 묻은 손을 바지에 대충 문질러 닦고 그것들을 집어 먹었다. 집에 엄마 아빠 없느냐고 물어보면 장미는 드넓은 과수원을 가리키며 "저기 어딘가에 있을 거야." 하고 대답했다.

나는 2층 가옥에 들어가고 싶었다. 집 안에 있을 게 분명한 나무 계단을 천천히 밟아 보고 싶었고 장미의 방도 구경하고 싶었다. 거실에는 커다란 가족사진이 걸려 있겠지. 화장실에는 쪽배 같은 욕조가 있을 거야. 주방에는 등받이가 높은 의자 여러 개가 있겠지. 커다란 창의 양옆에는 새하얀 레이스 커튼이 달려 있을 거야. 하지만 장미는 나를 집 안으로 초대하지 않았다. 방에 들어가서 놀면 안 되느냐고 물어보면 장미는 늘 동생 걱정을 했다. 내 동생이 잠에서 깰 거야, 내 동생에게 나쁜 게 묻을 거야, 내 동생이 겁을 내고 울지도 몰라…….

장미와 뭘 하고 놀았던가. 한쪽이 이기면 다른 쪽이 지는 놀이는 전혀 하지 않았다. '가위바위보 하나 빼기'나 '묵찌빠'조차 하지 않았다. 마당이나 연못 테두리를 맴맴 돌면서 풀 따고 흙 만지고 돌멩이 줍고 돌멩이 던지면서, 이따금 터무니없는 이야기를 나누었던 것 같다. 장미는 나를 무척 편하게 생각했다. 경쟁적으로 떠들지 않아도 되고 강박적으로 편 가르지 않아도 되고, 혼자 있는 것처럼 같이 있을 수 있는 사람이 나였던 것이다. 나도 장미가 편했던가? 모르겠다. 나는 내가 장미루 친구여서 가치 있다고 느꼈다. 그 외에는 별로 없었다. 스스로를 가치 있다고 느꼈던 순간은.

장미와 멀어진 뒤에는 연못 쪽으로 가지 않았다. 중학생이 되고 나와 다른 교복을 입은 장미를 길에서 마주치기도 했지만 그럴 때마다 못 본 척했다. 장미를 생각하면, 그렇게라도 만나 버리면 나는 화끈거렸고 내가 너무 싫어서 일부러 하루를 망쳐 버렸다.

⁂

진동이 느껴졌다. 주머니에서 휴대폰을 꺼냈다. 모르는 전화번호였다. 사장일 수도 있고 영업부장일 수도 있다. 증거를 남기지 않으려고 다른 사람 휴대폰을 사용하는 것일지도 모른다. 전화가 끊어지고 다시 진동이 시작되었다. 그러기를 다섯 번. 잠잠해졌다. 문자도

음성 메시지도 오지 않았다. 내가 겁낼 것은 없지만 겁이 났다. 내가 잘못한 것은 아니지만 내 잘못도 있다. 다른 사람은 몰라도 나는 안다. 계속 회사에 있었다면, 뱉어지지 않았다면, 그래도 신고했을까? 고민하고 갈등하면서 1년, 2년을 보내고 그렇게 10년을 채웠을지도 모른다. 100년을 근무해도 부장이 될 수 없는 과장으로 살며 단련되었을지도 모른다.

대개 2년을 채우지 않고 퇴사했다. 사장은 사람이 자주 바뀌는 것을 싫어하면서도 정규직으로 계약하지는 않았다. 사장의 머릿속에는 정규직이란 단어 자체가 없었다. 아니, 무기 계약직이 바로 정규직이었다. 사장은 두 가지가 다르지 않다고 생각했고 실제로 그렇게 말했다. 그렇다면 정규직으로 사람을 써도 상관없을 텐데, 아무도 사장에게 그렇게 되묻지는 않았다. 김 과장과 정 과장 머릿속에는 어떤 질문이 들어 있었을까? 어쨌든 그들은 그 회사를 다니며 적금과 청약저축을 부었다. 결혼을 하고 아이를 키웠다. 사장은 가족 대하듯 직원을 대했다. 집안 사업 하는데 야근이나 주말 근무가 무슨 대수냐, 장사가 잘돼서 회사가 돈을 많이 벌면 모두에게 이로운 일 아니냐는 식으로 말했다. 사장의 이득은 결코 나의 이득이 되지 않았다. 사장의 손해는 나의 손해가 되었다.

아무도 연차 휴가를 따지지 않았다. 여름휴가는 주말과 붙여서 사흘이었고 사장이 정해 주는 날짜에 쉬어야 했다. 피치 못할 사정으로 휴가를 내야 할 때면 부장과 사장에게 사정을 말하고 허락을 구해야 했다. 당당하게 요구하려고 해도 그들 앞에 서면 비굴해졌다. 명절이

나 연말 보너스도 사장 마음대로 주거나 주지 않았다. 여자는 출산하면 회사를 그만둬야 했고 남자는 아내가 아이를 낳은 날만 쉴 수 있었다. 한때 나는 김 과장과 정 과장도 사장의 먼 친척이 아닐까 생각했었다. 묻지는 않았다. 친척이라도 맥 빠지고 아니라도 황당할 것 같아서 상상만 해 보고 말았다.

2년 만기 적금이 끝나면 이직하려고 했는데, 만기 때 원룸 월세가 올랐다. 이곳을 떠나게 되는 계기가 오리라 막연히 짐작했다. 더 나은 조건의 다른 회사에 입사한다든가 어느 날 우연히 나도 모르던 재능을 발견한다든가 하는 식으로, 내게 좋은 방향으로만 그 계기를 상상했다. 그러던 어느 날 알게 되었다. 제품 안전성 인증을 받기 위해 공장에서 만드는 제품이 따로 있으며, 인증을 통과한 다음부터는 사용 금지된 화학 첨가제를 쓰고 있다는 사실을.

그 첨가제를 쓰면 제품이 훨씬 부드러워진다고 했다. 제조 단가도 현저히 떨어진다고 했다. 사장과 영업부장과 생산부장이 사장실에 모여 앉아서 하는 얘기를 들었다. 몰래 들은 것도 아니다. 그들은 내가 자기들 옆에 서 있는 걸 알면서도 태연히 그런 말을 주고받았다. 뭐지? 나도 가족이 된 건가? 그런 생각을 하지 않을 수 없었다. 그들은 첨가제 이름을 제대로 말하지 않고 '그것'이라고만 했다.

사장실을 나오자마자 인터넷 검색을 시작했다. 잠깐의 검색만으로도 '그것'이 '프탈레이트 가소제'라고 확신할 수 있었다. 회사 이름과 프탈레이트 가소제를 붙여서 검색 버튼을 눌렀다. 웹 페이지 가득 블로그가 떴다. 가장 위에 뜬 블로그에 들어갔다. 독성 물질을 사용한 회사와 장난감 목록을 정리해 둔 블로그였다. 그 목록에 사장의 회사도 있었다. 이미 몇 년 전에 프탈레이트 가소제 기준치 초과로 단속에 걸렸었고 제품 수거 명령을 받았던 것이다. 내가 막 입사했던 시기였다. 리콜 사건으로 다들 신경이 날카로웠던 게 그제야 기억났다. 그땐 아무도 내게 뭐가 문제인지 말해 주지 않았다. 눈치만 살피다가 눈이 닳아 없어질 것만 같던 때였다.

리콜 사건이 잠잠해지자마자 다시 그 첨가제를 사용하고 있는 것이다. 모르는 채로 나는 나쁜 짓에 가담하고 있었다. 그렇다는 걸 알게 된 다음부터는 알고서도 가담하는 거였다. 어디에 신고하지? 경찰서? 시청? 환경부? 중소기업청? 소비자 보호원? 신고한 다음엔? 리콜되겠지. 시간 지나면 또 사용하겠지. 난 내부 고발자가 되는 건가? 당연히 잘리겠지? 대출금 이자는 어쩌지? 신고하기 전에 다른 회사를 알아봐야 하나? 바로 이직할 수 있을까? 내부 고발자인데? 이거 정확한 정보일까? 괜히 신고했다가 무고죄 같은 걸로 고소당하면 어쩌지?

며칠 동안 편두통이 심해지도록 고민했다. 아침저녁마다 초조한 마음으로 프탈레이트 가소제를 검색했다. 생식 기관에 유해한 독성 물질이었다. 환경 호르몬 추정 물질이며 발암 물질이라고 했다. 그런데도 장난감뿐 아니라 각종 생활용품에서 자주 검출된다고 했다. 다들 알고도 쓰는 건가? 그렇게 나쁘지는 않은 건가? 당장 해를 끼치지는 않는다는 말인가? 독성 물질인데? 생각할수록 헷갈렸다. 내가 바로 옆에 서 있는 걸 알면서도 사장과 부장들이 그런 얘기를 나눴던 걸 보면 비밀이 아닐 수도 있다. 다른 회사에서도 다 쓰는 건지도 모른다. 나쁜 짓이 아니라 사업 수완일 수도 있다. 플라스틱 제품에 많이 쓰인다면 내가 쓰는 물건들에도 첨가되었을 것이다. 하지만 난 괜찮잖아. 아프지 않잖아. 몸에 쌓이겠지. 언젠가는 병들겠지. 지금도 병들어 가고 있겠지. 나를 병들게 하는 게 환경 호르몬뿐인가? 그렇게 하루하루가 지나갔다. 두어 달 뒤에는 플라스틱에 담긴 음식을 전자레인지에 데울 때나 잠깐씩 고민했다.

필드에서 일할 때는 좋은 대학 좋은 스펙 그런 거 다 필요 없거든요.

그렇게 말하고 있었다.

일머리가 있어야 돼. 일머리가. 일머리 없으면 자기도 자기지만 주변에서 죽어나거든요.

수습사원인 이찬양 씨 옆에 앉아 편의점 도시락을 먹으면서, 다른 사람도 아닌 내가, 그렇게 말하고 있었다.

찬양 씨 있잖아요. 설탕 말이야. 그거 많이 먹으면 몸에 나쁘잖아요? 근데 적당히는 먹어 줘야 사람이 살잖아요.

도시락의 돈가스에서 플라스틱 맛이 났다.

프탈레이트 가소제라고 있어요. 그게 뭐냐면 화학 첨가제인데, 혹시 들어 봤어요? 내가 진짜 오래 고민해 봤는데, 내 생각에는 그게 설탕 같아. 그게 좀 들어가 줘야 사람이 쓰기 편한 제품이 되는 거지. 그렇지 않으면 나쁜 줄 알면서도 왜들 그렇게 쓰겠어요? 그게 기준치 넘게 검출되면 리콜되는 건데요. 근데 기준치란 말도 웃기지 않아요?

기준치를 딱 맞추면 해롭지 않은데 기준치에서 1만 넘어가면 갑자기 해로워진다 이건가? 음주 측정이랑 뭐가 다르지? 난 세상의 모든 기준치라는 게 너무너무 이상해. 그렇지 않아요?

이찬양 씨는 아무 대꾸도 하지 않았다. 고개를 끄덕이지도 가로젓지도 않았다. 햄버거를 천천히 씹으며 다른 생각을 하는 것 같았다. 도시락의 숙주나물 무침을 입에 넣자마자 쉰 맛이 올라왔다. 뱉지 않고 먹었다. 괜찮을 테니까. 상한 것 좀 먹는다고 죽진 않을 테니까.

앙상한 나무들이 연못을 둘러싸고 있었다. 메마른 이파리와 오래된 쓰레기가 여기저기 흩어져 나뒹굴었다. 기억 속 연못보다 훨씬 작고 초라했다. 연못 너머 2시 방향으로 돌담이 보였다. 완성된 돌담이 아니라 진행 중인 돌담이었다. 작은 노인이 느리게 움직이며 담을 쌓고 있었다. 그 담 너머에는 집이 한 채뿐이었다. 예전에는 거기 장미 가족이 살았다.

장미 동생이 되고 싶었다. 장미가 세상에서 제일 사랑하는 그 아이가 되고 싶었다. 나를 집 안으로 초대하지 않는 장미에게 서운한 마음도 들었다. 그래도 좋았다. 연못 근처 작은 버드나무 아래에 우리만의 보물 창고를 만들기도 했다. 연못과 마당을 돌아다니며 주먹만 한 돌을 주워 버드나무 아래로 날랐다. 그 돌을 동그랗게 쌓아 작은 동굴을 만들었다. 걷다가 예쁜 것을 발견하면 그 동굴에 보관했다.

청색 빛이 나는 돌, 붉은빛이 나는 돌, 과수원에서 발견한 조개껍데기, 마른 꽃잎과 나뭇잎, 야광 별과 도토리, 기찻길 옆에서 주운 손바닥만 한 액자, 길을 걷다 주운 펜던트, 빨간색 파란색 노란색 분필…… 사탕이 예뻐서 넣어 뒀는데 다음 날 개미가 바글바글해서 기겁한 적도 있다. 겨울에는 작은 눈사람 두 개를 만들어서 넣어 두기도 했다.

여름에 비가 많이 내려서 연못이 넘쳐도 동굴은 무너지지 않았고 보물들은 안전했다. 동굴에 보물을 넣을 때마다 우리는 그것이 보물인지 아닌지 회의했다. 한 명이 보물이냐고 묻고 다른 한 명이 보물인 이유를 말하면 회의 끝이었다. 장미는 작은 수첩에 날짜를 적고 보물의 내용과 의미를 기록했다. 그럴 때 장미는 정말 특별했다. 나는 흉내도 못 낼 품격이 느껴졌다.

돌담을 쌓는 노인을 쳐다보다가 버드나무를 찾아 연못을 돌았다. 버드나무 밑동에 쌓인 눈이 얼어 있었다. 돌 하나를 주워 들고 쪼그려 앉아 눈을 파냈다. 아직도 장미 집일까? 저 노인은 장미 아버지일까? 여전히 땅 부자겠지? 그럼 장미도 부자겠지? 그냥 인부 아닐까? 설마 직접 담을 쌓겠어? 그런데 왜 담을 쌓지? 이층집은 그대로 있을까? 보물들은? 보물은 무슨, 죄다 쓰레기지. 쓰레기를 보물이라고 주워 모은 거지. 장미 방에는 더 예쁜 보물들이 있었겠지. 돌을 쌓아 보물 창고라고 이름 붙이고 나하고는 거기 쓰레기만 모아 놓고, 진짜 예쁜 것들은 혼자만 보고 만지고 간직했겠지. 나는 더러우니까 집에도 못 들어오게 했겠지. 자기 예쁜 것들을 함부로 만지고 망칠까 봐. 동생한테 나쁜 게 묻을 수도 있다고 했었지. 그건 무슨 뜻이었을까? 나랑 그러고 노는 게 재밌었을까? 내가 신기했나 장미는? 쓰레기를 보물이라고 모으는 내가? 열두 살에 그런 생각들을 했었다. 나를 보호하기 위해 장미를 가식적인 나쁜 애로 만들려고 애썼다. 그러면 마음이 좀 편해질 줄 알았는데 더 비참해졌다.

돌이켜 보면 그리 가난하지도 않았다. 장미네 집과 비교하면 그렇게 느껴졌을 뿐. 부모님은 사글세 판잣집에 살면서 부지런히 돈을 모았고, 내가 중학생이 되고 얼마 지나지 않아 아파트로 이사했다. 10년 융자를 끼고 들어갔지만 어쨌든 그곳에는 나만의 방이 있었다.

우리 가족이 머물렀던 마지막 셋방으로 이사 가기 며칠 전 엄마는 나의 일기장과 스케치북을 모두 버리겠다고 했다. 내 것을 왜 버리느냐고 울며 대들었다. 엄마는 이사 갈 때 이런 걸 다 정리해야 한다고 대답했다.

우리 또 이사 가?

…….

왜 또 가? 멀리 가?

아니야. 옆 동네로 가는 거야.

그럼 전학 안 가도 돼?

집만 옮기는 거야.

그러면 아무것도 버리지 말고 그냥 여기 살면 되잖아.

더 좋은 데로 가는 거야.

뭐가 좋은데.

방이 두 개야.

내 방이야?

골방이어서 추워. 거기서 잠도 못 자. 창고처럼 쓸 거야.

그래도 내 방이야?

여름에는 그럴 수도 있고.

옆 동네 어디로 가는데?

제일 교회 바로 뒤에 하얀색 양옥집이 있어. 거기로 갈 거야.

바로 뛰쳐나가 제일 교회를 향해 달렸다. 교회 뒤에는 정말 양옥집이 있었다. 오래되고 낡아서 벽에 때가 많이 묻어 있었지만 어쨌든 하얀색 양옥집이었다. 창살로 된 대문에 매달려 집 안을 엿봤다. 좁지만 마당도 있었다. 창문이 여러 개인 걸 보면 방이 두 개보다는 많을 것 같았다. 엄마는 왜 거짓말을 했지? 아닌가? 커다란 방이 두 개인 건가? 아무튼 양옥집이다. 내 방이 생긴다. 장미를 초대할 수도 있을 것이다. 다음 날 학교에서 장미를 만나자마자 기쁜 소식을 전했다. 나도 이제 양옥집에 살 거야. 거기엔 내 방도 있대. 이사하면 꼭 놀러와. 장미는 나만큼 기뻐하지는 않았고 차분하게 고개를 끄덕였다. 그래서 나는 또 서운해졌다.

이사하는 날, 수업이 끝나자마자 제일 교회 쪽으로 달려갔다. 어서 내 방을 구경하고 싶었다. 심장이 아프도록 뛰어 양옥집에 도착했다. 대문을 지나 엄마에게 다가가면서 나는 이상한 느낌에 사로잡혔다.

텔레비전을 짊어진 아저씨가 양옥 옆에 코딱지처럼 붙은 판잣집으로 들어가고 있었다. 엄마가 나를 돌아봤다. 나는 엄마를 보고 판잣집을 쳐다봤다. 그리고 다시 엄마를 봤다. 엄마가 판잣집의 검은 문으로 쑥 들어갔다. 나는 쭈뼛거리며 검은 문으로 다가가 그 안을 들여다봤다. 우리 밥솥과 냉장고와 옷장이 그곳에 있었다. 방은 두 개였다. 엄마는 거짓말을 하지 않았다. 작은 방은 연탄 창고처럼 좁고 어두웠다. 장미 말고 유령을 초대해야 어울릴 것 같았다. 하지만 나는 이미 장미에게 신신당부해 놓은 참이었다. 금요일 학교 끝나면 우리 집에 놀러 가자고. 금요일은 다음 날이었다.

장미의 이층집을 부러워했었다. 그렇다고 판잣집을 부끄러워하진 않았다. 그런데 부끄러워졌다. 이젠 나도 장미처럼 양옥집에 살 거라고 믿었는데, 계속 판잣집에 살아야 한다는 걸 알아 버린 그 순간.

수습 기간이 끝나는 날, 퇴근 시간이 넘어서야 영업부장은 이찬양 씨에게 계약을 할 수 없다고 통보했다. 지난 석 달간 이찬양 씨가 주로 한 일은 서류 작성과 복사와 전화 연결과 청소 같은 잔심부름뿐이었다. 사장은 영업 뛸 사람이 부족하다는 영업부장의 말을 듣고 이찬양 씨를 뽑았다. 하지만 영업부장은 이찬양 씨를 없는 사람 취급했다. 영업부장은 자기 일을 김 과장 아닌 다른 사람과는 나누기 싫어했다. 자기가 쌓아 온 리스트와 노하우를 공유하면 언젠가는 배신당하리라고 확신했다. 경력 사원을 뽑아 놓으면 일하는 스타일이 구려서 같이 못 해 먹겠다고, 거래처 다 떨어져 나갈 판이라고 대놓고 배척했다. 신입 사원이 들어오면 일머리가 없어서 성가시다고 잘라 버렸다. 그래 놓고 회삿돈은 자기 혼자 다 벌어 오는 것 같다면서 우는 소리를 했다.

조용히 사무실을 나가는 이찬양 씨의 등을 보면서 나는 지겨운 환멸을 느꼈다. 저 사람은 왜 저토록 조용히 나가는가. 어째서 나가는 순간까지 영업부장에게 고개 숙여 인사하는가. 저 사람은 왜 석 달을 버텼나. 이 회사에서 계속 일하고 싶었을까? 여기서 나오는 돈으로 살고 싶었나? 그럼 나는? 프탈레이트 가소제를 알게 되고 석 달 가까이 지났다. 공장은 쉼 없이 돌아갔고 장난감은 매일 쏟아져 나왔다. 이찬양 씨라면 어떻게 했을까. 주저 없이 신고했을까? 어쨌든 나는 남아 월급을 받고 있었다. 장난감을 팔아서 받는 월급이었다. 그러지 말라고 말해야 했다. 내 정당한 월급을 그런 돈으로 주지 말라고. 그런 돈으로 내가 살아가게 하지 말라고.

정 과장에게 같이 점심을 먹자고 했다. 정 과장은 무엇을 어디까지 알고 있는지, 진짜 친척인지 아닌지 알고 싶었다. 정 과장은 김 과장과 같이 나왔다. 둘보다는 셋이 낫지. 밥은 여럿이 먹을수록 맛있는 거야. 정 과장이 어색하게 웃으며 말했다. 김 과장이 맛있는 걸 사 주겠다며 중국집에 가자고 했다.

맛있는 거 시켜. 비싼 요리 시켜도 돼.

테이블에 앉으며 김 과장이 말했다. 나는 볶음밥을 시켰다. 김 과장과 정 과장은 짬뽕으로 통일했다. 볶음밥은 반도 먹지 못했고 나는 아무것도 알아내지 못했다. 그들은 내가 질문할 틈도 주지 않고 자기들끼리 계속 이야기를 나눴다. 그들보다 뒤처져 중국집을 나오면서 나는 결론 내렸다. 그들이 친척이든 아니든, 프탈레이트 가소제를 알든 모르든 상관없다고. 그들은 자기들이 모른다는 것조차 몰라서 아무 죄도 짓고 싶지 않은 사람들이었다.

요즘 사람들이 하도 유난스러워 그렇지, 그게 그렇게 나쁜 게 아니야. 그거 사용 금지된 지도 얼마 안 됐고, 우리 어릴 때는 다 그거를 물고 빨고 하면서 컸어. 근데 봐, 내가 죽었나? 아니잖아? 이 사원 어릴 때 쓰던 장난감에도 그거 다 들어갔어. 그래서 이 사원이 잘못됐나? 아니잖아? 지금 내 앞에서 따박 따박 말대꾸하고 있잖아. 우리 공장에서 만든 장난감을 내가 우리 애들한테는 안 줬을 것 같아? 연필 한 자루 만들어 본 적도 팔아 본 적도 없는 사람들이 현장 일은 뭣도 모르고 유해 물질이다 뭐다 그러는 거라고. 막말로 우리가 고무로 고기 만드는 회사도 아니고, 제품에 청산가리 바르는 것도 아니고, 아니잖아? 겨우 장난감이잖아. 그 정도로 나쁜 거는 세상에 널렸다 이거야.

영업부장에게 프탈레이트 가소제 얘기를 꺼내자마자 돌아온 대답이었다. 독성 물질을 쓴다고 자신 있게 말할 사람은 없다. 포장이 필요하고, 영업부장은 뭐든 잘 포장하는 사람이었다. '독성 물질이므로 절대 쓰면 안 된다.'는 원론적인 말로는 영업부장을 이길 수 없었다.

우리 때문에 사람이 죽었나? 우리 제품 때문에 누가 죽었다는 기사라도 떴어? 우리 모두 잘 살고 있잖아. 사람 그렇게 쉽게 죽거나 병들지 않는다고. 그러니까 우리가 그런 걸 쓰는 거보다 당신이 떠들어서 사람들 불안하게 하는 게 더 큰 문제다 이 말이야. 문제 삼지 않으면 문제 될 게 없는 거야.

그렇다. 당장 죽지는 않을 것이다. 병들 뿐이다. 병들어 죽을 때, 어느 누가 어릴 적 갖고 놀던 장난감이 원인이라고 지목하겠는가. 영업부장 말대로 세상에는 이렇게 나쁜 게 널렸는데. 나쁜 걸 서로 조금씩 나누면서 우리는 살아가고 있는데.

그래도 제가 이걸 안 이상 그냥 있을 수가 없습니다.

그냥 있지 않으면 뭐, 뭘 하겠다는 건데? 당신 월급 주는 회사를 신고해서 당신한테 돌아갈 이익이 뭐 있나? 당신 힘들어질 거 뻔하고, 당신만 그렇겠나? 우리 다 같이 죽는 거야. 여기 다 가정 있는 사람들이야. 당신 때문에 제품 수거되고 불매 운동 일어나서 월급 밀려 봐. 애들 학교는 어떻게 보내고 밥은 어떻게 먹이나? 이 사원은 싱글이라 가장의 그걸 몰라. 모르니까 지금처럼 똥 된장도 구분 못 하는 거야. 여러 사람 원망 들을 일을 왜 나서서 하겠다는 거지? 머리가 그렇게 안 돌아가나?

영업부장과 말하는 동안 나는 점점 이상한 사람이 되어 갔다. 다들 괜찮다는데 분란을 일으켜서 사람들 밥줄 끊으려는 협박범으로 몰렸다.

당신만 옳으면 다야? 당신 빼고 다 바보야? 저기 정 과장도 김 과장도 설마 몰라서 가만있겠어? 생계잖아. 생계. 당신한테는 이 일이 뭐,

취미세요?

그게 아니라, 저는 정당하게 일하고 싶은 겁니다.

그렇게 말하는 순간 깨달았다. 프탈레이트 가소제가 아니더라도 나는 이미 부당하게 일하고 있다는 사실을. 월급이 통장에 찍힐 때마다, 사장이 돌돌 만 신문으로 내 정수리를 치며 고함칠 때마다, 죄짓 듯 휴가를 쓰고 명절 직원 선물로 남성 양말 세트를 받을 때마다 나는 돌담을 쌓듯 모욕감을 쌓아 왔다. 돌아보기 싫은 감정이라 대충 쌓아 뒀던 그것이 흔들리고 있었다.

내가 지금 이 자리에 거저 앉아 있겠어? 조사도 징계도 다 때가 있 는 거야. 우리 회사 하나 조지겠다고 그 큰 조직이 움직일 것 같아? 내 가 그쪽에 아는 사람이 한둘이겠냐고.

영업부장이 말했다.

당신 마음대로 해 봐. 뭐가 어떻게 되는지 두고 보라고.

수업 끝나면 장미와 나는 학교 쪽문에서 만났다. 특별한 일이 없으 면 거의 매번 그랬다. 쪽문은 거미줄 같은 골목으로 이어졌고 골목에 는 취한 어른들이 많았다. 욕하고 침 뱉으면서 무서운 눈으로 사람을 노려보는 중학생도 있었고 종종 싸움도 일어났다. 우리는 손을 잡고 씩씩하게 그 길을 빠져나가 연못까지 갔다.

금요일에 나는 정문으로 나갔다. 도망치듯 달렸다. 장미는 아주 오래 나를 기다릴 것이다. 길이 어긋날까 봐 교실로 나를 찾으러 가지도 않을 것이고 제일 교회 뒤 하얀 양옥집을 찾아가지도 않을 것이다. 그 저 나를 기다릴 것이다. 장미가 그러리라는 걸 너무 잘 알아서, 그래 도 설마 그러겠어? 생각했다. 아무리 장미라도 조금만 기다리다 집으로 가겠지. 밤이 오도록 기다리진 않겠지. 그렇게 믿고 싶었다.

일을 마치고 집에 돌아온 장미 부모는 집 치우고 씻고 밥 차리느라 고 장미가 집에 없는 줄도 몰랐을 것이다. 밥 먹자고 장미루를 부르고, 아무리 불러도 장미루가 나오지 않아서 집과 마당과 과수원을 다 뒤진 다음에야 장미루가 근처에 없다는 걸 알게 되었으리라. 장미 담임은 반 아이들 집에 전화를 돌렸고 장미와 내가 친하다는 사실을 알게 되었을 것이다. 마침내 우리 집으로 전화가 왔다. 오늘 미루를 언제 마지막으로 봤어? 오늘도 미루랑 놀았어? 담임이 다급하게 물었다. 장미루랑 정문에서 만나기로 했는데 장미가 나오지 않아서 기다리다가 집에 왔어요. 놀란 채로도 나는 거짓말을 했다. 전화를 끊고는 무서워서 울었다. 쪽문으로 가 볼 생각도 못 하고 울기만 했다.

사고가 있었어.

물을 한 모금 마시고 엄마가 말했다.

그 집 딸이 죽었어.

밥을 먹다 말고 엄마를 쳐다봤다.

누가 죽어?

그 집 딸이.

장미가 죽어?

장미가 누군데?

죽었다며. 장미가.

나는 밥을 삼키지 못하고 밥상에 뱉어 냈다.

그 집 딸을 알아?

내 친구야. 내 친구.

어떻게 니 친구냐. 나이 차이가 얼만데.

내 친구라고. 장미라고.

아…… 딸이 둘이지. 그렇지. 언니가 있지.

엄마는 물을 한 모금 더 마시고 이야기를 시작했다.

이층집과 과수원은 장미 당숙 소유였다. 장미 부모는 이층집 지하에 살면서 과수원 일을 맡아 했다. 장미 당숙은 이층집과 도시를 오가며 큰 사업을 벌이다가 2, 3년 전 장미 부모에게 집과 땅을 싼값에 넘기고 도시로 완전히 떠났다. 장미 동생 장미래는 어릴 때 심장이 아파서 큰 수술을 받았고 남들보다 1년 늦게 학교에 들어갔다. 중학교 다니면서 1년 더 쉬었고 작년에 근처 대학에 입학했다.

중간고사가 끝나고 미래네 학과 학생들은 가까운 유원지로 엠티를 떠났다. 엠티를 마치고 돌아오던 밤, 버스 뒤쪽 엔진 부근에서 불이 났다. 기사는 경적을 울리며 버스를 갓길에 세웠다. 잠에서 깬 학생들은 하나뿐인 문으로 탈출했다. 학생들이 다 내리기도 전에 뭔가

터지는 소리가 들렸다. 그을음이 솟구쳤고 불길이 거세졌다. 그래도 다 내린 줄 알았다. 모두 살아남은 줄 알았다. 서로 이름을 부르면서 존재를 확인하다가 장미래가 없다는 사실을 알게 되었다. 누가 없어? 미래가 없어? 버스 기사는 허겁지겁 버스에 올랐다. 버스가 펑 소리를 내며 휘청거렸다.

버스 기사이자 버스 주인인 오명곤은 그 동네에서 태어나 자라고 늙은 사람이었다. 젊을 때는 시내버스를 몰아서 동네 사람들 중에 누가 몇 날 몇 시면 어디에 가는지 다 꿰고 있었다. 퇴직한 다음에는 그동안 모은 돈에 퇴직금을 합쳐서 낡은 관광버스를 샀다. 그 버스를 10년 넘게 굴렸다. 동네 사람들은 저 버스가 아직도 굴러다니느냐, 저러다 큰 사고 친다, 뭔 일이든 당한 뒤에야 폐차시킬 작정이냐고 구시렁거리면서도 결혼식이나 야유회 등 단체로 타지에 가야 할 일이 생기면 오명곤의 버스를 빌려 탔다. 동네 사람이 버스 장사를 하는데 모르는 사람 것을 빌려 타기도 민망하고, 좀 낡긴 했어도 아는 사람이 운전하는 버스가 더 편하고 안심된다고 했다. 장미래가 엠티를 간다고 했을 때 아버지는 말했다. 버스를 빌릴 거면 오 씨네 버스를 써 줘라. 그 사람 벌이가 없다고 맨날 울상이더라.

장미래도 오명곤도 버스에서 나오지 못했다.

동네 사람들은 장미 부모를 위로하려고 이런저런 말들을 했다. 그 중에는 절대 하지 말아야 할 말도 섞여 있었다. 그래도 그 집에는 자식이 하나 더 있잖아. 오 씨네는 가장이 죽었어. 자식은 여럿이어도 아버지는 하나 아닌가. 미래는 어려서부터 죽을 고비 여러 번 넘겼잖아. 명보다 오래 살았다고 생각하면 맘이 좀 편할지도 몰라. 호사다마라고, 부자 삼촌이 과수원이랑 집이랑 넘겨준 게 화근이지. 재산 들어오니 사람 나가잖아. 장미래 건강을 걱정해서 여럿 들어 놓은 보험을 두고도 어떤 사람들은 위로를 가장한 나쁜 말을 주고받았다. 결국 큰 싸움이 났다. 슈퍼 앞 평상에 모여 쑥덕거리던 사람들을 향해 장미 어머니가 돌을 던진 것이다. 사람들이 말렸고, 어머니는 말리는 사람들을 물어뜯었다. 아버지는 도끼를 들고 슈퍼로 달려가 평상을 부수었다. 모이면 입으로 똥만 싸는 인간들! 살아 있는 게 뭔 유세라고 죽은 내 딸 목숨까지 저울질이야! 운 좋아 산 작자들! 니들이 죽을 수도 있었잖아! 니들도 죽어! 내 딸도 죽었으니 니들도 다 죽어! 아버지 말에 발끈한 사람이 아버지 멱살을 쥐어뜯었고 아버지는 그를 내팽개쳤다.

다음 날부터 장미 부모는 집 밖으로 나오지 않았다. 과수원도 썩고 마르도록 내버려 두었다. 과수원이 병들자 연못도 말랐다. 정돈된 식물로 아름답던 이층집 주변은 황폐해졌다. 산 사람은 살아야지. 저 넓은 땅을 언제까지 놀릴 작정이야. 손에 일 놓으면 사람 금방 망가져. 부모가 이러면 안 돼. 자식은 무너져도 부모는 무너지면 안 돼. 사람들은 장미 부모를 자꾸만 일으켜 세우려고 했다. 어서 땅을 일구고 나무를 키우고 열매를 거두라고 했다. 일을 하고 움직여야 슬픔도 옅어진다고, 먹고 움직이고 사람처럼 살라고 어르고 달랬다.

겨울이 깊어질 무렵 집 밖으로 나온 장미 부모는 수레를 끌고 다니

며 돌을 모았다. 담 없이 살던 집에 담이 쌓였다. 돌담이 높고 길어질
수록 사람들 마음도 불편해졌다. 오고 가며 이런저런 참견과 걱정을
건네면, 장미 부모는 그 말을 묵묵히 들으면서 돌을 쌓았다. 어떤 사
람은 눈물을 훔쳤고 어떤 사람은 혀를 찼다. 어떤 사람은 성을 냈고
어떤 사람은 성을 내는 사람에게 성을 냈다. 그리고 어떤 사람은 돌을
가져다줬다. 오다가 주웠어. 산에 갔다 가져왔어. 생각나서 들렀어.
돌과 함께 그런 말을 내려놨다. 사람들이 두고 가는 돌이 많아질수록
돌담은 길어졌다.

돌은 왜 갖다준대. 담을 더 쌓으라고?

그러면 그 사람들 맘이 편해질까 싶어 그러는 거겠지.

불편하니까 보이지도 말라는 거 아니고?

……그런 마음도 없다고 할 수는 없고.

버스 아저씨 가족은?

그 사람들은 떠났어.

어디로?

모르지. 간다는 말도 없이 갔어.

운동장 쪽에서 어머니가 장미루를 부르고 있었다. 쪽문과 벽 모서
리에 기대앉아 잠들었던 장미는 내가 조금 흔들자 놀라며 깼다. 얼른
일어나. 엄마가 널 찾잖아. 그렇게 말하고, 나는 돌아서서 골목으로

달려갔다. 심장이 터질 것처럼 뛰었다. 나는 내가 도망치고 있다는 걸 알았다. 무엇 때문에 도망치는지는 몰랐다. 모퉁이에 몸을 숨기고 장미를 바라봤다. 장미는 내가 달려온 쪽을 쳐다보다가 뒤를 돌아봤다. 엄마? 망설이며 부르다가 어머니 목소리가 가까워지자 엄마! 엄마! 큰 소리로 불렀다. 어머니는 장미를 붙들고 껙껙 울다가 화를 냈다. 뭐 하고 있었느냐고, 왜 이 시간까지 집에 안 들어와서 이 난리를 만드느냐고 크게 꾸짖었다. 멀뚱히 서서 야단만 맞던 장미가 깜짝 놀라며 물었다. 근데 엄마 미래는? 미래는 어디 있어? 미래는 혼자 있어?

장미는 끝내 내 얘기를 하지 않았다. 분명 어른들이 화를 내며 이유를 물었을 텐데 혼자 야단맞고 오해를 사고 벌을 서면서도 내 이름을 말하지 않았다. 내 잘못이 드러나지 않고 아무 대가도 치르지 않아서, 난 더 큰 죄책감에 빠져 버렸다. 그날 만약 장미 담임이 내게 전화하지 않았다면? 장미가 집에 없다는 걸 부모님이 몰랐고 쪽문에서 잠든 장미가 아주 깜깜한 밤에야 눈을 떴다면? 괜찮겠지 괜찮겠지 생각하며 그 밤을 그냥 보냈다면? 그러다가 나쁜 일이라도 당했다면? 나는 매일 그런 상상을 했다. 장미를 바로 볼 수 없었다. 장미에게 한마디도 건넬 수 없었다.

그때 내가 무엇을 피하려고 했는지 이제는 안다. 내가 어떨 때 거짓말하는 인간인지, 무엇을 부끄러워하고 무엇에서 도망치는 인간인지 생각하기 싫었다. 그런 나를 내게서 빼고 싶었다. 그래서 잊고 살았다. 비슷한 일이 반복될수록 더 잊으려고 했다. 결국 나는 나쁜 것을 나누며 먹고사는 어른이 되었다. 괜찮지 않다는 걸 알면서도 괜찮겠

지, 괜찮겠지, 아직은 괜찮겠지, 기만하는 수법에 익숙해져 버린 형편
없는 어른.

　　　　　　　　　　　　※

　휴대폰 진동이 울렸다. 모르는 번호였다. 전원을 꺼 버렸다.
　아직까지는 부장 말이 맞다. 신고했지만 아무것도 달라지지 않았
다. 공장은 계속 돌아간다. 언젠가는 단속에 걸리고 수거 명령을 받
을 수도 있다. 나의 신고와 그 '언젠가'는 상관있는가? 모르겠다. 돌
하나를 쌓았을 뿐이다. 조사를 재촉하고 인터넷 카페와 SNS에 터트
리면 돌은 더 쌓이겠지. 내게 그럴 책임이 있는가? 의무가 있는가? 나
는 뱉어졌다. 나도 처음부터 뼈는 아니었다. 살이 될 수도 있었다. 그
들의 살이 되고 싶었나? 아니. 절대 아니야. 그럼 뭐가 되고 싶었지?
모르겠다. 더 나빠지고 싶지 않다.
　한때 나는 장미의 동생이고 싶었다. 장미가 세상에서 가장 사랑하
는 그 아이.
　눈보라가 몰아쳤다.
　돌을 찾으며 길을 걸었다.
　무슨 마음인지 알 수 없었다.

김기창

2014년 장편 소설 『모나코』로 오늘의작가상을 받으며 작품 활동을 시작했다. 소설집 『기후변화 시대의 사랑』, 장편 소설 『방콕』 등을 썼다.

02

약
속
의
땅

D - 97

올해 여름은 지독히 더웠다. 눈으로 쉽게 확인 가능했다. 가장 두 드러진 것은 해빙을 가로지른 균열이었다. 해빙은 종이처럼 찢어졌 고, 남아 있는 것만큼 바다로 뜯겨 나갔다. 바다와 인접한 해빙은 수 온이 오른 파도에 씻겨 비처럼 흘러내렸고, 쌓인 눈은 여과 없이 떨어 지는 햇빛에 얼어붙을 틈 없이 녹아내렸다. 해빙 두께와 면적은 점점 줄어들었고, 개빙 구역*은 점점 넓어졌다. 오랜 세월 굳건하던 만년빙 도 예외는 아니었다. 만년빙은 해일같이 밀려드는 햇빛 앞에서 부식 된 방파제처럼 깎여 나갔다.

* 북극해에서 해빙으로 덮여 있지 않고 해수면이 드러난 구역을 말한다. 개빙 구역이 넓어졌다는
  것은 그만큼 해빙이 녹아서 사라졌다는 의미다.

아푸트*는 이를 막는 방법을 알지 못했다. 막막함 속에서 여름이 하는 일을 지켜보기만 했다.

사냥에 가장 치명적인 일은 조그만 얼음 구멍이 셀 수 없이 늘어나는 것이다. 얼음 구멍이 적을 때는 반달무늬 물범이 오가는 길목에 자리한 구멍을 찾고 물범들이 숨을 쉬기 위해 얼음 위로 올라올 때를 노리면 된다. 얼음 구멍이 늘어났다는 것은 그만큼 살펴야 할 곳이 많다는 의미였다.

물범들은 아푸트를 놀리기라도 하듯 얼음 구멍 위로 고개를 내밀었다가 금세 다시 물 밑으로 내려갔다. 그리고 재빨리 헤엄쳐 가서 다른 얼음 구멍으로 고개를 내밀었다. 아푸트는 얼음 위를 쉼 없이 달려야 했다.

몸이 과열되면 죽는다. 오래 달리면 몸을 둘러싼 두꺼운 지방이 아푸트를 죽음으로 몰고 갔다. 아푸트는 그렇게 태어났다. 아푸트는 선택할 수 없는 것에 대해 불만을 가진 적이 없다. 아이들을 지키는 것역시 아푸트가 선택할 수 없는 일이다. 아푸트는 그렇게 태어났고, 자신의 어미에게 그렇게 배웠다.

이곳이 점점 더 더워지며 생존의 위기에 내몰리게 된 이유를 아푸트는 몰랐다. 북극은 아푸트가 알고 있는 것과 선택할 수 있는 것들의 범위 밖에서 녹아내리고 있었다.

* 아푸트(Aput)는 이누이트어로 '땅 위에 쌓인 눈'을 뜻한다.

D-93

아푸트는 얼음 위를 쉬지 않고 한 시간 이상 뛰어다닌 후에야 달아나는 어미에게서 뒤처진 반달무늬 물범 새끼를 간신히 잡을 수 있었다. 아푸트는 숨이 차오르고 갈증으로 목이 타올랐다.

아푸트는 허겁지겁 물범의 배를 갈라 내장의 피로 목을 적셨다. 순식간에 열기를 품은 피 냄새가 사방으로 퍼져 나갔다. 성급한 행동이었다. 사냥한 물범을 두고 다툴 거리를 만든 것이다.

실수는 또 있었다. 아이들에게 물범 사냥법을 보여 줘야 했는데 물범의 뒤를 쫓는 데 집중하다 너무 멀리 와 버렸다. 아푸트는 몸을 펴고 뒤꿈치를 들어 듬성듬성 녹아내린 눈밭 너머를 바라보았다. 적과 아이들 모두를 찾아야 했다.

개빙 구역 너머에서 아이들이 바다 위를 떠다니는 부빙을 기웃거리는 모습이 보였다. 아푸트는 첫째와 눈이 먼저 마주쳤고, 이어서 둘째를 발견했다. 첫째, 둘째 모두 무사했다. 아푸트는 주변을 경계하듯 살피며 아이들이 도착하기를 기다렸다.

그때, 물살을 세차게 가르는 소리가 들려왔다. 아푸트는 황급히 고개를 돌렸다.

흰 돌고래들이었다. 흰 돌고래 무리가 녹아내리는 부빙을 호위라도 하듯 그 주변을 헤엄치며 북쪽을 향해 빠르게 나아가고 있었다. 수온이 상승한 탓에 이곳에서 여름을 나기가 어렵다고 판단한 듯했다.

아푸트는 바다를 가르며 나아가는 흰 돌고래 무리를 망연자실한 표정으로 바라보았다. 그러나 아이들은 순진한 표정으로 멀어지는 흰 돌고래 무리를 향해 손짓과 고갯짓을 했다. 신난 것 같기도 했고 감탄한 것 같기도 했다

아이들은 아직 흰 돌고래를 먹어 보지 못했다. 흰 돌고래는 물범보다 사냥하기 어려웠다. 영리함의 차원이 달랐다. 아푸트는 겨울이 오기 전에 흰 돌고래 사냥법 역시 아이들에게 보여 줘야 했다. 더 늦어져서는 안 되었다. 아푸트는 아이들을 향해 소리쳤다. 먹을 수 있는 거야. 곧 먹게 해 줄게.

기온 상승으로 인해 지금까지 북극에서 보지 못했던 식물들과 새들, 그리고 '그롤라'*라고 불리는 곰을 처음 보았을 때, 아푸트는 두려운 마음으로 그것을 지켜보기만 했다.

먹을 수 있는 것과 먹을 수 없는 것, 이길 수 있는 것과 이길 수 없는 것을 구분하는 것은 선험적인 능력이 아니었다. 어미에게서 배워야 했다. 어미가 가르쳐 주지 않은 것을 아푸트는 알 수 없었다. 그러나 아푸트는 배우지 않은 것을 아이들에게 가르쳐야 했다. 그래야 아이들이 새로운 환경에서 살아남을 수 있었다.

아푸트는 처음 보는 해초를 뜯어 먹어 보았고, 이름을 알지 못하는 새들의 위장을 삼켰으며, 그롤라를 위협해 멀리 쫓아냈다. 모두 목숨을 걸어야 하는 일이었다.

---

* 그롤라(Grolar Bear)는 북극곰(Polar Bear)과 회색 곰(Grizzly Bear)을 합친 신조어다. '피즐리'라 불리기도 한다. 기온이 올라 북극곰의 서식지가 파괴되자 지난 시기 거의 교류 없이 살던 북극곰과 회색 곰이 같은 지역에 살며 교미를 하는 경우가 늘어나고 있다. 과학자들은 그롤라가 북극곰을 대체할지도 모른다고 우려하고 있다.

아푸트는 아이들의 볼을 자신의 얼굴로 비빈 후 물범의 4분의 1을 내주었다. 자신을 뒤쫓아 오게 하는 것도 훈련이라면 훈련이었다. 멀리서도 소리 듣고 냄새 맡는 방법을 익히고, 크레바스*를 피해 눈밭을 달리며 위험을 감지하는 감각과 발의 힘을 기르는 것이다.

아이들은 머리에 새기듯 반달무늬 물범 새끼의 냄새를 맡았다. 아푸트는 말했다. 냄새만 기억해서는 안 돼. 물범이 얼음 위로 고개를 내밀 때 나는 소리도 기억해야 해. 물범이 물속에서 헤엄치며 내는 소리를 얼음 위에서도 들을 수 있어야 해. 그 소리가 들리면 조금 앞서 가서 얼음을 부숴야 해. 그래야 물범을 잡을 수 있어.

아이들은 고개 돌려 아푸트의 눈을 바라보았다. 아푸트는 부드럽게 턱을 끄덕였다. 그제야 아이들은 게걸스럽게 물범을 먹기 시작했다. 나흘 만에 허기를 채우는 것이었다. 아푸트와 아이들은 병에 걸리기라도 한 것처럼 파리했다.

아푸트는 아이들이 먹는 모습을 지켜보다 다시 주변을 둘러보았다. 정적이 천천히 가라앉으며 얼음이 녹아내리는 소리가 들려왔다. 그제야 아푸트는 경계를 풀고 허기를 채웠다.

셋 모두 만족할 수 없는 양이었다. 첫째는 그나마 자신의 몫을 챙겨 먹는 듯했지만 둘째는 아니었다. 첫째가 둘째를 계속 밀어내자 둘째

---

* 빙하나 눈 골짜기에 형성된 깊은 균열로 1, 2미터 정도 벌어져 있다. 밑바닥까지는 10~30미터로 얼음 녹은 물이 흐르는 경우도 있다.

가 아푸트 곁으로 다가왔다. 아푸트가 말했다. 너는 저걸 먹어야 해. 싸워서라도 네 몫을 챙겨야 해. 살아남으려면 그래야 해. 그러나 둘째는 아푸트의 팔에 매달려 보채고 칭얼거렸다.

아푸트는 자신의 먹이에 고개를 들이미는 둘째를 밀어냈다. 아이들을 지키려면 그래야 한다. 자신의 몫을 포기해서는 안 된다. 조금이라도 더 오래 아이들을 보살피려면 먹어야 한다. 아푸트는 둘째에게 말했다. 내게 애원할 일이 아니야. 네 누이와 다퉈야 하는 문제야. 그래도 둘째는 칭얼거림을 멈추지 않았다.

아푸트는 둘째에게 얼마간 내주었다. 둘째는 작은 이빨로 물범의 질긴 피부를 오랫동안 씹었다. 지금 당장은 아니지만 사냥하기가 더 어려워지면 둘째는 첫째와 거칠게 부딪쳐야 하는 순간을 맞이해야 했다. 크게 다치는 것도 감수해야 할 순간을. 아푸트는 그 순간을 최대한 늦추어야 했다. 그것이 자신이 해야 할 일이었다. 어쩌면 그것이 아푸트가 할 수 있는 일의 전부였다.

D-34

내장이 파헤쳐진 북극 제비갈매기의 피가 새하얀 눈을 물들이고 있을 때 굵고 짧은 외침 소리가 들려왔다. 잊을 수 없는 소리였고, 아푸트의 피부와 뼈가 기억하는 소리였다. 5주 만의 재회 아닌 재회였다. 키쿠트는 그때도 아이들을 위협했다.

아이들은 두려운 눈빛을 감추지 못한 채 아푸트의 등 뒤로 몸을 숨겼다. 키쿠트가 곧 모습을 드러냈다. 아푸트는 키쿠트를 향해 날카롭게 소리쳤다. 돌아가. 아이들은 안 돼.

키쿠트는 잠깐 주춤했지만 이내 속도를 붙여 아이들을 향해 달려왔다. 아푸트는 아이들을 다그치듯 밀어붙였다. 뛰어야 해. 돌아보지 말고 뛰어야 해. 아이들은 허둥지둥 도망갔고 아푸트는 엄호하듯 그 뒤를 따랐다.

개빙 구역이 앞을 가로막았다. 아이들은 머뭇거렸다. 아푸트는 아이들을 바다로 밀어 넣었다. 최대한 멀리 나아가. 돌아보지 말고 헤엄쳐.

아푸트는 뒤돌아 키쿠트를 막아섰다. 반쯤 뜯겨 나간 왼쪽 귀와 미간의 갈색 털. 키쿠트가 틀림없었다. 키쿠트는 자신의 씨앗을 먹이로 삼을 생각이었다. 처음 아이들을 공격한 그때도, 그리고 지금도.

키쿠트는 아푸트를 상대할 생각이 없다는 듯 바다로 뛰어들려 했다. 아푸트는 키쿠트를 두 손으로 거칠게 밀어냈다. 키쿠트는 쓰러진 몸을 일으키며 주저 없이 공격 자세를 취했다.

아푸트와 키쿠트는 서로를 매섭게 노려보았다. 서로를 죽이는 것에 망설임 따위는 없는 눈빛이었다.

그때, 썰매가 눈 위를 가로지르는 소리와 개 짖는 소리가 들려왔다. 소리들은 점점 커지더니 마침내 형체로 드러났다.

시베리아허스키들은 20미터 내외의 거리에 멈춰 서서 사납게 짖어 댔다. 썰매를 끌던 남자는 시베리아허스키의 울음소리를 흉내 내며 개들을 묶고 있는 줄을 잡아당겼다. 자신이 나설 테니 물러서라는 뜻 같았다. 그러나 개들의 기세는 쉬이 수그러들지 않았다. 남자는 다시 한번 목줄을 잡아당긴 후 썰매에서 내려왔다.

아푸트는 남자를 알고 있었고, 남자의 목소리를 기억하고 있었다. 남자는 우나아크였다.

D - 112

아푸트는 '테러호'*가 잠들어 있는 곳에서 사냥을 하고 있었다. 그 주변 해빙과 해역은 북극에 사는 생명체들의 놀이터이자 사냥터였다. 흰 돌고래와 반달무늬 물범을 비롯해 턱수염 물범, 하프 바다표범 등이 그곳을 번질나게 드나들었다. 그러나 지금은 아니었다. 해빙이 녹기 시작하며 배가 바다 쪽으로 조금씩 이동했고, 얼음이 갈라지며 바닥이 무너져 내렸다. 좁아진 면적만큼, 열기를 피할 수 있는 만년빙이 사라진 만큼 이곳을 찾는 생명체의 개체 수도 줄어들었다.

남자가 아푸트와 아이들을 향해 다가왔을 때, 아푸트는 거듭된 사냥 실패로 탈진한 채 해빙 위에 엎드려 있는 상태였고, 아이들은 아푸트의 몸을 오르내리며 배고픔을 달래는 중이었다.

---

* 2017년 북극 킹윌리엄섬의 연구원들은 오랫동안 찾지 못한 영국 군함 '테러호'의 잔해를 발견했다. '프랭클린 원정대'가 타고 있던 '테러호'는 1846년 항로를 찾던 중 유빙에 갇혀 침몰했다. 오랫동안 실종 상태였는데 과학자들은 북극의 온도가 상승해 유빙이 녹으면서 그 잔해가 발견되기 시작한 것이라고 추측하고 있다.

남자를 발견한 아푸트는 힘겹게 몸을 일으켜 아이들을 등 뒤에 세웠다. 아푸트는 남자와 싸울 여력이 있지 않았다. 그러나 남자가 그 것을 알게 해서는 안 되었다. 아푸트는 을러대듯 소리쳤다. 더 가까이 다가오면 목이 부러지게 될 거야.

남자는 사납게 짖어 대는 개들을 예의 울음소리로 진정시키더니 아푸트에게서 눈을 떼지 않은 채 썰매에서 내렸다. 남자의 오른손에는 소총이, 왼손에는 피가 뚝뚝 떨어지는 무언가가 들려 있었다.

아푸트는 짙은 피 냄새 때문에 정신이 혼미해졌다. 굶주림이 모든 것을 마비시켰다. 아이들도 그런 듯했다. 아이들은 흘러나오는 침을 삼키지 못했다. 첫째는 아푸트가 미처 손쓸 틈도 없이 앞으로 달려 나갔다.

남자는 조심스러운 표정으로 첫째의 행동을 지켜보았다. 첫째와 남자의 거리가 점점 가까워졌다. 아푸트가 소리쳤다. 아가, 돌아와!

남자의 발아래 도착한 첫째는 남자의 다리에 매달린 채 부츠를 이빨로 깨물기 시작했다. 아푸트는 언제든 튀어 나갈 수 있게 몸을 낮추고 남자의 다음 행동을 주시했다.

남자는 첫째를 내려다보며 씩 웃었다. 안전하다 느꼈는지 뒤에 남아 있던 둘째도 남자를 향해 나아갔다. 아푸트는 둘째도 제어할 수 없었다. 첫째와 둘째는 남자의 다리를 부둥켜안고 천진난만한 표정으로 칭얼거렸다. 남자는 왼손에 들린 무언가를 근처 바닥으로 던졌다.

첫째와 둘째는 피 냄새가 나는 곳으로 달려갔다. 갓 잡은 바다코끼리의 간이었다. 남자는 아푸트를 바라보며 썰매 뒤쪽으로 천천히 물러났다. 뒤쪽 바구니에는 바다코끼리 한 마리가 해체된 채 쌓여 있었다.

남자는 바다코끼리의 또 다른 내장을 들고 다시 앞으로 다가왔다. 그리고 아푸트를 향해 내장을 내밀었다.

아푸트는 남자의 눈빛을 읽으려 노력했다. 남자는 내장을 바닥에 내려놓고 두 걸음 뒤로 물러섰다. 아푸트는 아이들을 힐끗 쳐다보았다. 아이들은 바다코끼리 간에 코를 파묻고 있었다. 아푸트는 남자의 눈을 주시하며 남자가 바닥에 내려놓은 내장을 향해 천천히 손을 뻗었다.

아푸트와 아이들이 배를 채우고 있을 때, 남자가 소리쳤다. 우나아크!

남자는 자신을 가리키며 다시 한번 소리친 후 썰매에 올라탔다. 그리고 돌아서서 가자는 듯 개들을 묶고 있는 줄을 잡아당겼다.

개들은 남자의 명령을 순순히 따르지 않았다. 아푸트와 아이들을 보며 사납게 으르렁거리기만 했다. 아푸트와 아이들은 아랑곳하지 않았다. 개들은 아푸트의 상대가 되지 않았다. 아푸트는 개들을 향해 낮게 중얼거렸다. 남자의 말을 따르는 게 좋아. 내가 힘을 회복하면 다음은 없어.

남자는 줄을 잡아당기며 재차 명령했다. 그제야 개들은 못 이기는 척 남쪽으로 방향을 틀었다.

썰매는 느릿느릿 나아갔다. 아푸트는 멀어지는 썰매를 향해 소리쳤다. 해빙 두께가 얇아졌어. 주의하며 썰매를 끌어야 해.

남자가 고개를 돌렸다. 남자와 아푸트는 북극의 마지막 생존자를 바라보듯 서로의 모습을 눈에 새겼다. 남자는 웃으며 중얼거렸다. 다음에 만나면 둘 중 하나는 피를 봐야 할 거야.

D-34

우나아크는 썰매에서 내리자마자 소총을 겨누었다. 아푸트는 우나아크가 자신을 겨누는 것인지 키쿠트를 겨누는 것인지 알 수 없었다. 키쿠트는 재빠르게 바다로 뛰어들었다. 소총을 이길 수 없다는 것을 키쿠트는 알고 있는 듯했다. 아푸트는 우나아크를 다시 바라보았다.

우나아크는 소총을 거둘 생각이 없는 것 같았다. 그제야 아푸트는 허겁지겁 바다로 뛰어들어 아이들이 나아간 방향으로 헤엄쳐 갔다. 아이들이 고개를 돌려 아푸트를 바라보았다. 아푸트는 소리쳤다. 계속 헤엄쳐. 멀리 있는 부빙 위로 올라가야 해.

키쿠트는 오른쪽 해빙 쪽으로 가는 듯하다가 다시 방향을 바꿔 아이들을 향해 나아갔다. 이대로라면 아푸트보다 먼저 아이들에게 닿을 듯했다. 아푸트는 남은 힘을 모두 쏟아 냈다. 키쿠트는 아이들을 뒤쫓았고, 아푸트는 키쿠트를 뒤쫓았다.

아푸트와 키쿠트의 거리가 점점 벌어졌다. 아이들과 키쿠트의 거리는 점점 좁혀졌다. 틀려 버렸다고 생각했을 무렵, 두 발의 총성이

고요한 바다 위로 울려 퍼졌다.

키쿠트의 머리에서 피가 튀어 올랐다. 키쿠트는 고통스러운 듯 몸을 비틀다가 바다 아래로 가라앉기 시작했다. 벌건 핏물이 청록색 바다에 스며들며 주변으로 퍼져 나갔다. 그러나 아푸트는 안심할 수 없었다. 범고래*가 불현듯 모두를 덮칠 수 있었다. 아푸트는 전력을 다해 아이들을 향해 나아갔다.

아푸트도 우나아크도 키쿠트를 거두지 못했다. 아푸트의 예상대로 범고래가 떼를 지어 나타났다. 아푸트와 아이들은 부빙 위에서, 우나아크는 해빙 위에서 범고래가 키쿠트를 집어삼키는 모습을 지켜보았다.

우나아크는 소총을 어깨에 메고 뒤돌아섰다. 아푸트와 아이들은 우나아크의 모습이 완전히 사라질 때까지 부빙을 떠나지 못했다.

아푸트와 아이들은 우나아크가 사라진 뒤에도 부빙을 떠날 수 없었다. 범고래들이 여전히 밑을 배회하고 있었다.

* 이누이트들은 범고래를 '아를루크'라 불렀다. '아를루크'는 '모든 것을 죽이다.'라는 뜻이다.

D - 33

부빙은 파도에 실려 끝이 보이지 않는 수평선 너머로 지치지 않고 나아갔다. 여기에 계속 몸을 맡기고 있을 수는 없었다. 부빙이 어디로 향하고 있는지 알 수 없었고, 육지에 닿기 전에 녹아내리기라도 한다면 아이들의 생사는 아푸트의 손을 떠난 문제가 될 것이었다.

아푸트는 칭얼거리는 첫째와 둘째를 바다에 밀어 넣었다. 얼마나 헤엄쳐야 해빙에 닿을 수 있을지 아푸트도 알지 못했다. 한때는 먹이를 찾아 부빙 위를 오가다 너무 멀리 나아간 탓에 200킬로미터 이상을 헤엄쳐서 해빙으로 돌아간 적도 있었다. 그러나 그것은 아이들이 없을 때의 일이었다.

첫째는 아푸트를 곧잘 따라왔다. 그러나 둘째는 서서히 뒤처졌고 이윽고 바닷속으로 가라앉기 시작했다.

아푸트는 둘째를 입에 물고 헤엄쳐서 끝내 해빙에 닿았지만 둘째를 살릴 수는 없었다. 아푸트는 헤엄치다 지쳐 죽은 아이를 살리는 법을 배우지 않았다. 애교를 부리듯 배를 위로 하고 누운 둘째는, 결국 눈을 뜨지 못했다.

'하얀 밤'*이 찾아왔다. 아푸트는 얼음을 파서 굴을 만들었다. 그리고 첫째와 둘째를 데리고 굴 안으로 들어갔다. 아푸트는 둘째의 가슴에 머리를 묻고 소리 죽여 울었다.

* '하얀 밤'은 러시아에서 백야(白夜)를 가리킬 때 쓰는 말이다. 백야는 위도 48.5도 이상인 지역에서 여름 동안 밤에 어두워지지 않는 현상을 말한다. 스웨덴 등을 포함한 북유럽 지역에서는 이를 '한밤의 태양'이라고 부른다.

자연에 우연은 없다. 키쿠트는 오랫동안 굶주린 듯했다. 굶주림은 모든 것을 마비시킨다. 먹을 것이 풍족하던 시기에도 동족을 죽이는 일은 있었다. 자신의 자식을 죽이는 일도. 그러나 굶주림 때문인 경우는 드물었다. 생식 때문이거나 영역 다툼, 그것도 아니라면 단순한 살육의 충동이 이유였다. 할 수만 있다면 아푸트도 키쿠트를 기꺼이 죽였을 것이다. 아이들을 제외하고 아푸트는 거슬리는 모든 것을 죽일 수 있었다.

북극이 지금처럼 변하지 않았다면 키쿠트와 마주치는 일은 없었을지도 모른다. 그러나 사냥터는 점점 쪼그라들었고, 사냥감을 향한 경쟁은 더욱 치열해졌다. 아푸트에게만 해당하는 일은 아니었다. 북극에 사는 모든 존재가 그랬다. 자연에 우연은 없었다.

북극엔 호의도 없었다. 북극의 모든 존재는 얼음을 딛고 서 있었다. 모두가 얼음 위에 서서 끝을 알 수 없는 어둠과 날카롭게 찌르는 듯한 햇살, 피부를 벗겨 내는 바람과 추위를 견뎌 내며 살아남기 위해 최선을 다해야 했다. 우나아크는 아푸트와 아이들에게 호의를 베푼 것이 아니었다. 아이들이 장성해서 아푸트를 떠나가면 우나아크는 제일 먼저 찾아와 아푸트를 죽였을 것이다. 그리고 장성한 아이들을 만나면 주저 없이 소총을 겨누었을 것이다. 처음 마주쳤을 때, 우나아크는 북극곰의 털로 만든 바지를 입고 있었다. 우나아크는 노련한 사냥꾼인 동시에 질서와 순리를 아는 사냥꾼이었다. 문제는 아푸트와 우나아크, 아푸트와 키쿠트, 키쿠트와 아이들 사이를 지탱하던 질서와 순리의 밑바탕이 녹아내리고 있다는 것이었다.

아푸트는 둘째를 가슴에 꼭 품은 채 '하얀 밤'이 지나가기를 기다렸다.

D - 28

늦은 새벽, 첫째가 굴을 덮고 있던 눈을 밀어내며 밖으로 빠져나갔다. 밥을 달라고 보채는 것이었다. 철없는 행동이었다. 빠르고 영악한 북극여우 무리에게 당할 수도 있었다. 그러나 아푸트는 움직이지 않았다. 둘째를 품에 꼭 안고 있었다. 첫째가 굴 안으로 고개를 내밀며 계속 칭얼거렸다. 아푸트는 도리가 없었다. 아푸트는 둘째를 품에서 떼어 냈다. 둘째의 몸은 차갑게 식어 갔다. 아푸트는 첫째를 뒤따라 굴 밖으로 나갔다. 아푸트는 굴 안에 혼자 남아 있는 둘째를 가만히 바라보았다.

아푸트가 아이들에게 그러했듯, 아푸트의 어미는 테러호가 잠들어 있는 곳에 아푸트를 자주 데려갔다. 사람들은 그곳을 '약속의 땅'*이라 불렀다. 그곳에는 배를 포함해, 수많은 존재들이 썩지 않은 온전한 모습으로 얼음 속에 묻혀 있었다. 사람들은 죽기 전, 자식들에게 말했다. 그곳에 있는 존재들은 죽은 게 아냐. 잠들어 있는 거야. 우리가 이 세상에 존재하지 않고, 네가 낳은 아이들, 그 아이들이 낳은 아이들

---

* '약속의 땅'(히브리어: הארץ המובטחת)은 성경에 기록된, 하나님이 이스라엘 백성에게 주겠다고 약속한 땅이자 구원의 땅이다. 그러나 그리스도 교도들은 '약속의 땅'을 지상에 있는 땅이 아니라 천상에 있는 땅이라고 생각한다.

도 세상에 존재하지 않게 되었을 때, 얼음이 녹을 거야. 그때 여기 있는 모든 존재가 잠에서 깨어날 거야. 우리는 사라지는 게 아냐. 얼음 속에서 영원과도 같은 잠을 자는 거야. 그러다 때가 오면 깨어나는 거야. 우리는 그때 다시 만날 거야. 그때가 오면 반드시 다시 만날 거야. 나는 너희를 다시 만날 날을 기다리며 그곳에서 잠들어 있을 거야. 나는 너희랑 한 약속을 꼭 지킬 거야. 알았지?

아푸트의 어미는 아푸트를 그곳에 두고 떠났다. 아푸트가 이제 혼자서도 무엇이든 사냥할 수 있다는 것을, 어미는 알고 있었다. 아푸트는 사냥해 온 흰 돌고래를 내버려 둔 채 어미를 뒤쫓았다. 그러나 어미는 빠른 속도로 멀리멀리 나아가더니 거대한 만년빙 아래로 모습을 감추었다.

어미는 아푸트가 닿을 수 없는 먼 곳으로 물러났고, 사냥터는 온전히 아푸트만의 것이 되었다. 아푸트는 그곳에서 첫째와 둘째가 뛰어노는 모습을 보며 자신의 어미가 사라진 만년빙 너머를 지그시 쳐다보곤 했다.

D-22

아푸트는 둘째가 잠들어 있는 굴을 쉬이 떠날 수 없었다. 첫째가 아푸트의 팔에 머리를 비비며 보챘다. 아푸트는 첫째에게 말했다. 알았어, 아가. 알았어.

아푸트는 굴 입구를 눈으로 메우기 시작했다. 아푸트는 첫째를 지켜야 했다. 첫째마저 잃을 수는 없었다. 아푸트는 아무도 둘째가 거기 있다는 것을 눈치채지 못하게 입구를 메우려 애썼다.

첫째가 의아한 표정으로 고개를 갸웃거리며 아푸트를 바라보았다. 아푸트가 말했다. 이제 가야 해. 이제 가야 할 시간이야.

첫째는 이해할 수 없다는 표정을 지으며 굴 입구를 파헤치려 했다. 아푸트는 첫째를 자신의 앞으로 돌려세웠다. 아푸트는 첫째를 앞장세우고 뒤돌아보지 않고 걸었다. 아푸트는 뒤쪽을 계속 기웃거리는 첫째를 재촉하며 '약속의 땅'을 향해 나아갔다.

D - 13

해빙 두께는 점점 얇아지고 있었다. 무작정 걷고 뛰다간 엉뚱한 곳에 추락할지도 몰랐다. 아푸트는 첫째를 뒤로 오게 한 후 앞서 걸었다.

얼음 위로 썰매가 지나간 자국이 남아 있었다. 첫째는 썰매 자국에서 나는 냄새를 꼼꼼히 맡으며 아푸트를 뒤따랐다. 첫째는 아푸트가 가르쳐 준 것을 잊지 않고 있었다. 아푸트는 첫째의 얼굴을 혀로 핥았다. 잘했어, 아가. 잘했어.

썰매 자국은 서서히 흐릿해지다가 커다란 얼음 구멍 앞에서 사라졌다. 아푸트는 얼음 구멍 앞에 멈춰 섰다. 전에는 보지 못한 얼음 구멍이었다. 아푸트는 아래를 내려다보았다. 얼음 구멍은 바다를 향해 뚫려 있었다. 해빙이 썰매의 무게를 버티지 못하고 무너져 내린 것 같았다. 바다 위에는 채찍과 얼음을 긁는 도구 등 썰매에서 튀어나온 잔해 몇 가지가 남아 있었고, 아래쪽 얼음 벽면에는 남자가 갈고리처럼 생긴 칼에 의지한 채 위태롭게 매달려 있었다. 아푸트는 남자를 알고 있었다. 햇볕에 그을린 까만 피부와 다듬지 않은 콧수염을 가진 남자는, 우나아크였다.

우나아크는 몸이 젖어 있었다. 이대로 밤이 오면 얼음 구멍을 벗어나도 살 수 없었다. 얼어 죽거나 탈진해 죽을 것이었다. 바다로 떨어지면 이미 그렇게 된 시베리아허스키들처럼 범고래의 먹이가 될 것이었다. 우나아크도 그것을 알고 있는 듯했다. 우나아크는 죽음을 예감한 듯한 표정으로 입술을 깨물었다.

아푸트와 우나아크는 침묵 속에서 서로를 응시했다. 첫째가 아푸트 곁으로 다가오더니 고개를 내밀어 아래를 내려다보았다. 우나아크는 첫째와 눈이 마주치자 절망적인 눈빛으로 천천히 고개를 떨구었다.

그때, 수컷 그롤라 한 마리가 얼음 구멍 쪽으로 다가왔다. 아푸트가 과거에 마주쳤던 그롤라보다 몸집이 컸다. 아푸트는 첫째와 함께 얼음 구멍을 우회해 반대편으로 건너갔다.

그롤라는 아푸트를 노려보며 얼음 구멍 앞에 멈춰 섰다. 그리고 아래를 내려다보더니 이내 두 손으로 얼음을 부수기 시작했다. 우나아크를 바다에 떨어뜨리거나 직접 손에 거머쥐거나, 둘 중 하나를 노리는 듯했다. 아푸트는 반대편에서 지켜보고 있다가 첫째에게 말했다. 여기에서 기다리고 있어. 내가 소리치면 돌아보지 말고 도망가.

아푸트는 엉겨 붙는 첫째를 밀어낸 후 그롤라가 있는 곳으로 다가갔다. 그롤라가 하던 일을 멈추고 아푸트를 바라보며 위협적으로 소리쳤다. 아푸트는 그대로 달려가 그롤라의 머리를 후려쳤다. 그롤라는 두 팔로 아푸트의 목을 감싸며 아푸트를 넘어뜨리려 했다. 아푸트는 뒤로 조금 물러났다가 힘을 주어 다시 튀어 오르며 그롤라를 밀어냈다.

그롤라는 뒤뚱거리면서도 쓰러지지 않았다. 아푸트는 다시 달려들어 그롤라를 넘어뜨렸다. 아푸트는 그롤라의 목을 노렸고, 그롤라는 아푸트의 오른팔을 물고 늘어졌다. 사냥을 할 수 없을 정도로 다치면 그걸로 끝이었다. 서서히 죽느냐 빨리 죽느냐의 차이였다. 그롤라도 그것을 알고 있었다.

아푸트는 그롤라의 목에 이빨을 깊이 박지 못했다. 그롤라가 몸을 비틀며 아푸트를 밀어냈다. 아푸트는 다시 공격 태세를 갖추었다. 그롤라는 아푸트의 기세에 눌려 슬금슬금 뒷걸음치더니 등을 보이며 달아났다. 아푸트는 그롤라를 뒤쫓지 않았다.

눈 위로 붉은 피가 번져 나갔다. 아푸트의 오른팔에서 흘러내린 피였다. 손목 부위가 깊게 찢어져 뼈가 드러났다.

첫째가 아푸트 곁으로 달려왔다. 첫째는 걱정스러운 표정으로 아푸트의 손에 묻은 피를 핥았다. 아푸트는 말했다. 괜찮아, 아가. 괜찮아.

아푸트는 얼음 구멍 아래를 내려다보았다. 우나아크의 모습이 보이지 않았다. 갈고리처럼 생긴 칼만 벽면에 박혀 있었다. 우나아크는 바닷속으로 가라앉은 듯했다. 아푸트는 첫째와 함께 청록색 바다를 오랫동안 바라보았다.

D-3

여자는 시베리아허스키들이 끄는 썰매에 탄 채 '약속의 땅' 주변을 배회했다. 여자는 무언가를 애타게 찾고 있는 것처럼 보였다. 아푸트는 조금 떨어진 곳에서 여자를 지켜보았다.

여자는 주변을 수색하며 반복해서 소리쳤다. 바람에 실린 여자의 안타까운 목소리는 먼 곳까지 뻗어 나아갔다. 아푸트가 있는 곳에서도 선명하게 들을 수 있었다. 여자는 우나아크를 찾고 있었다.

사람이 나타나면 물범들은 한동안 이곳을 찾지 않았다. 해안가도 상황이 안 좋기는 마찬가지였다. 해가 점점 더 높이 솟아오르며 땅에 애처롭게 쌓여 있는 눈들을 흔적 없이 지워 나가고 있었다.

아푸트와 첫째는 지난 열흘 동안 아무것도 먹지 못했다. 가을이 가기 전에 최대한 많이 먹어 둬야 했다. 그래야 겨울을 견딜 수 있었다. 이대로라면 가을을 넘기기도 어려웠다.

아푸트는 여자가 있는 쪽을 바라보며 몸을 일으켜 세웠다. 아푸트의 모습을 발견한 늙은 남자가 다급하게 달려오며 여자를 향해 소리

첬다. 뒤쪽이야. 뒤쪽이라고. 여자는 뒤를 돌아보며 재빨리 소총을 겨누었다. 한껏 몸을 부풀린 아푸트는 두 사람을 향해 소리쳤다. 돌아가. 여긴 내 영역이야.

여자는 분노로 가득한 눈빛이었다. 아푸트와 여자는 잠시 동안 서로를 노려보았다. 늙은 남자가 아푸트를 향해 소총을 겨누었다. 아푸트는 뒤로 물러섰다. 발사된 두 방의 총알이 빙벽을 때렸다.

아푸트는 첫째를 데리고 안전한 곳을 찾아 숨어들었다.

D-2

여자가 아푸트의 뒤를 쫓았다. 아푸트는 여자를 피해 더 북쪽으로 올라갔다. 아푸트는 첫째가 얼마나 더 버틸 수 있을지 알 수 없었다. 굶주리고, 맞서 싸울 힘이 없는 상태에서 긴 거리를 이동하다간 첫째가 더 위험해질 수 있었다. 아푸트는 첫째를 지킬 힘이 있을 때 움직여야 했고, 싸우더라도 사냥감이 있는 곳에서 싸워야 했다. 아푸트는 마음을 바꾸었다.

D-0

냄새를 맡은 시베리아허스키들이 긴장한 표정으로 거세게 짖기 시작했다. 아푸트는 빙벽을 타고 올라야 하는 길을 택했다. 첫째가 그 뒤를 힘겹게 따라왔다. 빙벽 정상에 오른 아푸트는 그 너머로 고개를 내밀었다.

빙벽 바로 아래, 여자가 있었다. 여자는 아푸트와 눈이 마주치자 망설임 없이 소총을 쏘았다. 총알은 빙벽에 박혔다. 깜짝 놀란 첫째는 중심을 잡지 못한 채 빙벽 아래로 미끄러졌다. 아푸트는 버둥거리는 첫째를 안타까운 눈빛으로 바라보았다. 여자가 쏜 총알이 다시 빙벽에 박혔다.

아푸트는 빙벽 위에 우뚝 섰다. 여자는 소총으로 아푸트를 겨눈 채 긴 숨을 내쉬며 호흡을 가다듬었다. 여자 쪽에서 아푸트가 있는 곳으로 한 줄기 바람이 불어왔다. 여자의 몸에서 나는 냄새가 바람에 묻어 있었다. 코를 자극하는 냄새였고, 아푸트가 전에 맡은 적이 있는 냄새였다. 인가에서, 지독한 굶주림에 지쳐 찾아간 곳에서.

여자는 임신한 여자의 질에서 나는 냄새를 풍기고 있었다. 그러나 그것이 아푸트가 여자를 죽일 수 없는 이유가 되지는 않았다. 아푸트는 여자를 죽일 수 있었고, 여자를 먹을 수 있었다. 우나아크를 바닷속에서 건져 냈을 때처럼. 아푸트와 첫째는 우나아크를 남김없이 먹었다.

아푸트의 조상과 여자의 조상이 서로를 경외하던 시절도 있었다. 여자의 조상들은 자기 부모의 사체를 아푸트의 조상들이 먹도록 했다. 언젠가 아푸트의 조상들도 자신들에게 먹히리라 생각했다. 그것이 그들이 말하는 영혼의 윤회였다. 그러나 오랫동안 굶주리다 먹을 것을 찾아 인가로 향한 아푸트의 종족들은 사람들을 갈기갈기 찢어 죽였고, 사람들은 증오 어린 눈빛으로 아푸트의 종족들을 살육했다. 모든 것이 변했다. 변화는 북극에 사는 존재들이 선택할 수 있는 것의 범위 밖에서 시작되었다.

아푸트는 길게 포효했다. 여자는 미동조차 하지 않았다. 아푸트는 여자를 향해 달려갔고, 여자는 총을 쏘았다. 첫 번째 총알은 아푸트의 옆을 스쳤다. 두 번째 총알은 어깨에 박혔다. 아푸트는 비틀거렸지만 쓰러지진 않았다. 세 번째 총알은 또 옆을 스쳤다. 아푸트는 여자를 향해 몸을 날렸다.

개들이 아푸트의 앞을 막아섰고, 아푸트의 등 뒤에서 여러 발의 총성이 울렸다. 몇 발은 아푸트의 몸을 뚫고 들어왔다.

아푸트는 앞으로 엎어진 채 얼음이 녹아 찰랑거리는 빙판 위로 피를 쏟아 냈다. 첫째의 울음소리가 먼 곳에서 아득하게 들려왔다. 아푸트는 고개 들지 못한 채 중얼거렸다. 도망가, 아가. 어서 도망가.

여자가 아푸트를 향해 천천히 다가왔다. 그리고 아푸트의 눈앞에서 멈춰 섰다.

아푸트는 여자를 힘없이 노려보았다. 여자는 아푸트의 머리를 향해 다시 총을 쏘았다.

⁂

아푸트는 햇살이 그렇게 따사로운 것임을 전에는 알지 못했다. 아푸트는 흐려지는 의식을 붙잡으려 노력했고, 감겨 오는 눈을 감지 않으려 애를 썼다. 뒤쪽에서 웅성거리며 달려오는 사람들의 발걸음 소리가 어렴풋이 들려왔다.

그때, 해빙 바닥이 쩌억 하고 갈라지며 천둥 치는 소리가 났다. 해빙은 모래성처럼 부서졌다. 얼음이 바다로 우르르 밀려났고, 해빙에 갇혀 있던 테러호가 바다 위로 요란하게 올라와 앉았다. 여자는 놀란 표정으로 테러호를 바라보았다.

테러호는 우아하지도 아름답지도 않았다. 선미는 부식되다 만 채 부서져 있었고, 돛대들은 초라하게 꺾여 있었다. 무엇보다 냄새가 지독했다. 썩은 냄새가 안개처럼 주변을 에워쌌다.

여자는 우나아크의 시체를 발견이라도 한 것처럼 테러호를 향해 달려갔다. 그러나 이내 여자가 발을 딛고 있던 얼음도 무너져 내리기 시작했다.

바다에 빠진 여자는 부빙을 붙잡으려 안간힘을 썼다. 아푸트는 거친 물결이 일렁이는 수면을 아래서 바라보며 어딘가에서 허우적거리고 있을 첫째를 향해 손을 뻗었다. 그리고, '약속의 땅'은 햇살 아래서 반짝이며 수평선 아래로 모습을 감추었다.

김중혁

2000년 『문학과사회』에 중편 소설 「펭귄뉴스」를 발표하며 작품 활동을 시작했다. 소설집 『1F/B1 일층, 지하 일층』, 『가짜 팔로 하는 포옹』, 장편 소설 『나는 농담이다』, 『내일은 초인간』 등을 썼다. 김유정문학상, 젊은작가상, 이효석문학상, 동인문학상, 심훈문학상 대상을 수상했다.

심심풀이로 앨버트로스

플라스틱 섬에서 살아 돌아온 사람의 이야기를 들어 본 적이 있는지 모르겠다. 나는 그 이야기를 수진에게서 들었다. 수진은 올해로 15년째 소설을 쓰고 있는 작가인데, 지금까지 일곱 권의 장편 소설을 펴냈고, 그중 한 권은 20만 권 이상이 팔리는 베스트셀러가 되었다. 평생 수천 대의 자동차를 훔친 자동차 도둑왕의 실화를 소재로 한 소설인데, 다른 사람들의 평가에 비해 나는 재미있게 읽지 못했다. 평론가들과 대중들은 근래 보기 드문 박진감 넘치는 소설이라고 호평했지만, 자동차를 훔칠 수밖에 없는 주인공의 심리를 나는 도무지 이해할 수 없었다. 자동차 절도 기술에 대한 묘사가 부족한 것 같다고 수진에게 충고했지만 수진은 그게 중요한 게 아니라고 대답했다. 이야기에서 어떤 걸 중요하게 생각하는지는 누구나 다 다를 수밖에 없다.

수진은 이야기의 소재를 실화에서 자주 찾았다. 신문을 열심히 읽었고, 『내셔널 지오그래픽』 같은 잡지도 정기 구독 했다. 텔레비전에서 방송하는 다큐멘터리 프로그램은 빼놓지 않고 보았다. 수진이 플라스틱 섬에서 살아 돌아온 사람의 이야기를 꺼냈을 때도 나는 그 이야기의 출처가 신문이나 잡지 혹은 텔레비전이라고 생각했다. "아니야, 내가 아는 사람이 본인에게서 직접 들은 이야기야." 수진이 그렇게 말했다. 수진이 알고 지내던 알렉스가 조이에게서 들은 이야기라고 했다. 플라스틱 섬에서 살아 돌아온 사람이 조이, 조이의 친한 친구가 알렉스, 알렉스와 서핑을 같이하는 사람이 수진, 수진의 이야기 친구가 나……, 세상은 그렇게 연결되어 있다.

수진은 서핑을 하다가 바다에서 떠내려오고 있는 플라스틱 백 하나를 보았다. 거기에는

THANK YOU

Have A Nice Day

라고 적혀 있었다. 수진이 알렉스에게 말했다.

"아무리 비닐봉지라지만 이렇게 평생 떠다니는 인생도 피곤하겠다. 만나는 사람 모두에게 고맙다고 얘기하는 거니까."

"뒷면에 'FUCK YOU'라고 적혀 있는 게 아닐까?"

"그럼 우린 운이 좋은 거네."

"수진, 정말 운이 좋은 사람은 미개봉 상태의 플라스틱 백을 줍겠지. 그 안에는 샤넬이나 구찌 신상이 들어 있고."

"진정한 의미의 시크릿 박스네. 샤넬과 구찌의 경영진이 신상품을 시크릿 박스에 넣어 바다에 던지면 재미있겠다."

"발견하면 내가 양보할게."

"고마워, 알렉스. 그런데 우리가 발견할 때쯤이면 이미 신상이 아닌 게 될 거야. 바다는 넓으니까."

"플라스틱 섬 같은 곳에서 발견하면 뭐든 신상이지."

"플라스틱 섬?"

"플라스틱 섬 몰라? 내가 얘기 안 했었나? 거기서 살아 돌아온 친구 이야기?"

그렇게 알렉스가 얘길 꺼냈고, 그 이야기를 들은 수진이 내게도 전했다. 수진은 그 이야기를 소설로 써 보려고 했다. 나에게 어떤 식으로 이야기를 풀어 가면 좋을지, 주인공이 겪는 최고의 모험은 어떤 것으로 하면 좋을지 물어보기도 했다. 나는 수진을 돕기 위해 많은 이야기를 나누었지만 끝내 소설은 완성되지 못했다. 수진은 어느 날 내게 와서 플라스틱 섬에서 살아 돌아온 사람 이야기를 더 이상 쓰지 않겠다고 말했다.

"그 이야기에 시적인 순간은 있지만 소설적으로 감동적인 순간은 없는 것 같아."

소설적이라는 게 어떤 건지 물어보려다 그만두었다. 수진은 계속 이야기했다.

"몇 달 동안 그 이야기를 곱씹어 보고, 자료도 찾아보고 했는데, 각이 나오질 않아. 도무지 이야기에 엣지가 없어. 물에 대한 이야기라서 그런 건가? 하하하하."

나는 같이 웃지 않았다.

내가 알기로 소설가는 이야기를 칼로 자르고 분해한 다음 처음부터 다시 조립하는 사람들이다. 분해와 조립을 반복하다 보면 이야기의 원래 형체는 없어지고 완전히 새로운 이야기로 다시 탄생하게 된다. 이야기도 피곤해지고, 소설가도 피곤해진다. 어떤 이야기는 분해와 조립이 필요하지 않을 수도 있다. 사실 그대로를 기록하는 게 의미있을 때도 있다. 내가 수진 대신 조이의 이야기를 기록한 것도 그 때문이었다.

조이가 겪었던 일을 알렉스가 수진에게 전하고, 수진이 그 이야기를 다시 나에게 전한 만큼 논리적으로 모순되거나 디테일이 생략될 여지가 많았다. 부족한 부분은 물어볼 수도 있었지만, 내가 수진에게 묻고 수진이 알렉스에게 묻고 알렉스가 조이에게 물어서 이야기의 빈 곳을 채울 수도 있었지만, 그러지 않기로 했다. 자신이 포기한소설을 내가 기록한다는 사실을 수진에게 알리고 싶지 않았다. 빈 곳은 비어 있는 대로 놓아두기로 했다. 나는 최대한 자료를 그러모았다. 관련 자료도 모두 검토했다. 이야기는 경비행기 추락 사건에서 시작된다.

바다 위로 추락한 경비행기에서 간신히 탈출한 조이는 커다란 플라스틱 통을 붙잡았다. 플라스틱 통은 어디론가 계속 끌려 들어가고 있었고, 조이는 바다의 흐름에 자신의 몸을 맡겼다. 정신을 잃지 않기 위해 눈을 부릅떴다. 몇 시간이 흐른 후 조이는 기적이라는 해류를 타고 무인도에 도착했다. 플라스틱 쓰레기 때문에 해변의 진짜 모습을 볼 수는 없었지만 조이는 기뻤다. 조이는 플라스틱 통을 버리고 무인도로 올라섰다. 섬의 모습은 기괴했다. 축구 경기장만 한 크기의 섬에는 나무가 다섯 그루 정도밖에 없었다. 숯이 되어 까맣게 타 버린 목재를 누군가 일부러 심어 놓은 것처럼, 나무들에는 생명력이 없어 보였다. 마른 이파리들만 몇 개 달려 있을 뿐이었다. 커다란 쓰레기가 섬 군데군데 방치돼 있었다. 해류에 밀려온 플라스틱 쓰레기들이 한군데 쌓였고, 넘쳐흐른 쓰레기들이 옆으로 퍼져 나갔다. 한때 무언가를 포장했을 수십만의 플라스틱 포장재들이 썩지도 않고 쌓여 가고 있었다. 바닥 역시 일반적인 모래는 아니었다. 늪지대를 걸을 때처럼 발이 푹푹 들어갔다. 조이는 물을 찾아서 섬을 돌아다녔다. 뚜껑이 닫혀 있는 커다란 생수 통 하나를 찾아냈고, 그 안에 들어 있는 물을 마셨다. 바닷물은 아니었다. 담수가 분명했지만 맛이 이상했다. 그래도 먹을 만했다.

　조이는 걸어 다니면서 플라스틱 쓰레기에 말을 걸었다. 무생물을 향해 말을 거는 일은 조이가 가장 잘하는 일이었다. 달력에, 책상에, 커피 메이커에, 모니터에, 키보드에, 스탠드에, 에어컨에, 휴지통과 그 안에 든 쓰레기에, 베개에, 이불에, 포크와 칼에, 신발에, 창문에 말을 걸었다. 조이는 모든 물체가 살아 있다고 느꼈고, 그들을 하나의 생명으로 대했다. 베개에 말을 걸면 실제로 베개는 최선을 다해 조이를 잠으로 안내했다. 커피 메이커는 더 맛있는 커피를 만들어 냈고, 포크와 칼은 절대 휘지 않았다. 조이는 그렇게 믿었다.

　기진맥진하다 지쳐 잠든 조이는 새벽녘에 배가 고파 깼다. 햇빛이 어둠을 찔러 아침을 깨우듯 허기는 고통스럽게 조이의 배 속을 찔러 댔다. 조이는 눈을 감았다 뜨기를 반복했지만 허기가 사라지지는 않았다. 먹을 것을 찾아야 할 시간이었다. 바닷속으로 들어가 먹을 것을 채취하거나 섬 위에 널브러져 있는 쓰레기 속에서 음식물을 발견해야 했다. 조이는 바닷속으로 잠수해 보았다. 물이 탁해서 앞이 잘 보이지 않았다. 조금 더 잠수해 보았다. 숨을 쉬고 싶다는 욕망이 목구멍까지 치밀어 올랐지만 참아 보기로 했다. 물속으로 내려가다 보면 자신의 위치를 정확히 알 수 없다. 숨을 참으며 어디까지 가야 하는지, 어느 정도의 숨을 비축해 두어야 편안하게 돌아올 수 있을지 가늠하기 힘들다. 조이는 아무런 소득 없이 수면 위로 올라왔다.

　"숨을 오랫동안 참는 방법으로 자살할 수 있다면 얼마나 좋을까?"

　알렉스의 이야기를 듣다가 수진이 말했다.

　"그게 왜 좋아?"

　알렉스는 서프보드를 해변에 던지고는 털썩 주저앉았다.

　"많은 사람이 간단하게 죽음을 선택할 수 있을 거 아냐."

　"너무 간단해지겠지."

　"간단한 게 좋지 않아?"

"그랬다면 조이는 살아 돌아오지 못했을 거야. 일찌감치 포기했을 테고, 아마 간단하게 죽어 버리는 쪽을 선택했을 거야."

"그랬을까?"

"조이가 플라스틱 가득한 해변을 멍하니 바라보다가 발견한 문장이 뭐였는 줄 알아?"

"금요일은 분리수거의 날입니다?"

"웃겼어. 소설가다운 농담이네."

"우리 동네 분리수거하는 날이 금요일이라서 던져 본 거야. 오늘이 금요일이잖아."

"테스코의 비닐봉지에 적혀 있는 문장이었어. '낭비할 시간이 없다'."

"지구에 대한 이야기였겠구나."

"아마 그랬겠지. 지구에 쓰레기를 버리지 말자는 이야기였겠지만 조이는 전혀 다른 의미로 받아들였을 거야."

조이는 낭비할 시간이 없었다. 힘을 내고 일어나서 해변을 샅샅이 뒤졌다. 어딘가에 분명히 먹을 것이 있을 것이라고 믿었다. 믿어야 찾아낼 수 있었다. 조이는 해변에 널려 있는 비닐과 플라스틱을 발로 툭툭 차면서 걸었다. 부풀어 오른 비닐봉지들은 발로 눌러 보았고, 엎어진 플라스틱 그릇은 반드시 뒤집어서 내용물을 확인했다. 30분쯤 걸어갔을 때 조이의 눈 앞에 깡통이 나타났다. '하인즈'에서 만든, 아직 뜯지 않은 콩 통조림이었다. 콩 통조림을 보는 순간 조이의 입에서 침이 흘렀다. 토마토소스에 잠겨 있는 콩의 사진은 세상의 그 어떤 명화보다도 고귀해 보였다. 손잡이로 뜯어 올릴 수 있는 캔이라는 사실도 조이를 감격하게 만들었다. 조이는 손가락으로 콩을 집어 먹었다. 토마토소스의 달콤하고 시큼한 맛이 목구멍을 넘어가는 순간 몸속의 모든 세포가 영양분을 섭취하기 위해 몰려들었다.

콩은 순식간에 사라졌다. 조이는 깡통 깊은 곳으로 손가락을 넣어 소스를 긁어냈고 마지막 한 방울까지 놓치지 않았다. 포만감이 노곤함으로 바뀌면서 조이의 시야도 넓어졌다. 보이지 않던 것들이 보였고, 자신의 상황을 객관적으로 조망할 수 있었다. 조이는 자신이 살아남을 확률을 따져 보았다. 아무리 높게 잡아도 10퍼센트 이상은 불가능해 보였다. 자신의 건강 상태, 섬의 환경, 담수의 양, 구조될 확률, 탈수로 인한 질병 가능성 등의 요인을 분석해 봤을 때 조이는 나흘을 넘기지 못할 확률이 높았다. 통계학을 공부할 때 교수에게 처음으로 들었던 문장이 생각났다.

'쓰레기를 넣으면 쓰레기가 나온다.'

잘못된 데이터를 넣으면 제대로 된 결과물을 얻을 수 없다는 뜻이지만 섬에 갇힌 조이에게 그 문장의 의미는 예전과 달랐다. 쓰레기를 넣었기 때문에 더 많은 쓰레기가 생겨난 것이다. 자신 역시 이제 곧 지구의 쓰레기가 될 확률이 높았다. 그래도 다행인 것은, 플라스틱과 달리, 조이는 썩을 것이다.

조이는 이파리가 거의 붙어 있지 않은 나무 아래에서 간신히 그늘을 찾아냈다. 가로세로 1미터 정도의 공간이었다. 태양의 움직임에 따라 그늘도 이동했고, 조이는 그늘을 따라 움직였다. 조이의 눈앞에 어린 시절부터 지금까지의 몇몇 장면이 나타났다. 인생의 중요한 장면이 아니라 아주 사소한 장면들이었다. 어머니가 사 준 빵이 먹기 싫다면서 바닥으로 내팽개쳤던 것이 열 살 때였던가, 조이는 그 장면을 떠올릴 때마다 빵 속에 어떤 재료가 들어 있었는지 기억해 보려고 애쓴다. 빵 속의 무언가가 무척 싫었기 때문에 그걸 버린 것일 텐데, 도무지 기억이 나지 않았다. 조이는 연어를 먹지 않는다. 올리브도 먹지 않는다. 로즈마리도 먹지 않는다. 그중의 하나가 들어 있었던 게 아닐까. 조이는 대학에서 '유방암 진단에 대한 연구 결과'를 접하고 나서 답을 찾았다.

1993년 하버드 대학의 연구자들은 유방암 진단을 받은 여성 집단과, 비슷한 연령대의 암 진단을 받지 않은 여성 집단을 비교한 적이 있다. 두 집단의 여성들에게 어린 시절의 식습관에 관해 물어보았다. 유방암 진단을 받은 여성 집단은 어렸을 때부터 고지방 식사를 자주 했다고 털어놓았다.

"진짜? 난 그런 연구 결과는 처음 들어."

수진은 선글라스를 끼고 뒤로 드러누웠다. 태양이 모래와 바다를 가리지 않고 뜨겁게 달구고 있었다.

"나도 조이에게 처음 들은 연구인데, 핵심은 그게 아냐."

알렉스는 모래 위에 엎드린 채 휴대 전화를 만지작거리고 있었다.

"고지방 식사를 자주하면 암에 걸린다. 그게 핵심이 아니라고?"

"인간들이 얼마나 교묘한데 그렇게 단순한 걸로 데이터를 만들겠어."

"그럼 핵심이 뭔데?"

"조이가 길게 설명해 줬는데……, 기억 편향이라는 게 있대. 유방암에 걸린 사람들은 자신이 고지방 식사를 자주 했다고 기억한다는 거야. 어렸을 때 뭘 먹었는지 자세하게 기억하는 사람이 대체 몇이나 되겠어. 기억이 그런 식으로 바뀌게 되는 거지. 반면에 암에 걸리지 않은 사람들은 평범한 식사를 했다고 기억했고."

"현재가 기억을 바꾸는 거네?"

"바꾼다기보다 자신들의 기억을 조작하는 거지."

"진실은 아무도 모르는 거네. 기억을 프린트해서 볼 수도 없고."

"그렇지. 아무도 알 수 없지. 그 사람들은 자신의 과거에 무언가 잘못되었고, 돌아가서 그걸 바꾸고 싶다고 느끼는 거야."

수진에게 이 이야기를 들었을 때 나는 과학자와 의사의 국제 네트워크인 '코크란 연합'의 유방암 관련 분석 결과를 떠올렸다. 유방암 검사를 받은 50세 이상의 여성 1천 명 중 10년이 지나 유방암으로 사망한 숫자는 네 명이었다. 검사를 받지 않은 여성 중에는 다섯 명이 사망했다. 코크란 연합은 결과에 이런 말을 덧붙였다. '1천 명의 여성이 유방암 사망자 수를 한 명 줄이기 위해 10년 동안 검사를 받았다.'

게다가 10년 동안 검사를 받은 1천 명 중에 약 100명은 오진 때문에 잘못된 경고를 받기도 했다. 조이의 이야기에 내가 아는 이야기를 결합해 보면 몇몇 사람들은 오진 때문에 자신의 어린 시절을 쓸데없이 후회하고 있는 셈이다. 기억 편향 때문에 괴로워하던 한 사람이 오진임을 알게 된 후의 결과가 궁금했다. 그는 기억을 바로잡았을까? 아니면 이왕 이렇게 마음먹은 김에 식습관을 바꾸게 되었을까, 아니면 더욱더 고지방 식사에 집착하게 됐을까. 통계는 또 다른 통계를 궁금하게 만든다. 나도 조이 못지않게 통계에 관심이 많다. 내 속에는 그런 통계들로 가득하다.

조이는 빵에 대해 다시 생각했다. 빵 속에 든 재료가 싫어서 그걸 버린 게 아닐지도 모른다. 지금의 어떤 행동에는 반드시 원인이 있어야 한다고 생각했고, 연어와 올리브와 로즈마리를 싫어하게 된 원인을 억지로라도 찾기 위해 빵을 버리는 장면이 필요했는지도 모른다. 원인이 없는 결과도 가능하지 않을까.

조이는 진흙이 묻은 플라스틱 덩어리를 집어 들었다. 어릴 때 물끄러미 바라보던 빵보다 짙은 갈색의 흙이 묻어 있었다. 플라스틱은 일회용 도시락으로 쓰였던 것이고, 뚜껑에는 이런 문장이 적힌 스티커가 붙어 있었다.

식사 시간에 맞춰 신선한 도시락을 주문하세요.
어디든지 달려갑니다.

조이는 누군가의 삶을 생각했다. 도시락을 주문하고 기다리는 시간, 도시락이 식사 시간에 맞춰 도착하고, 아니, 오히려 식사 시간보다 약간 늦게 도착하고, 배가 고팠던 그 사람은 약간 화를 내면서 도시락을 열었지만, 안에 들어 있는 따끈따끈한 밥 때문에 화가 녹아내리고, 따뜻한 음식이 위장을 천천히 통과한다. 배가 부른 그는 도시락을 쓰레기통에 버리는데, 그 안에는 아직도 음식이 남아 있었지만 아무도 그걸 눈치채지는 못한다. 플라스틱 도시락은 그렇게 여기까지 왔다. 음식물은 바닷물에 씻겨서 물고기들의 밥이 되었을 것이다. 물고기들은 좋겠네. 어떤 걸 먹었을까, 물고기들은.

조이는 스티커를 뜯어보았다. 깔끔하게 뜯어지지 않아서 손톱을 세워 긁었다. '식사 시간'이 지워지고 '어디든지'가 지워졌다. 자신의 식사 시간에 맞춰 어디든지 달려올 수 있는 사람이 있다면 좋겠지만 지금 자신이 살아남을 확률은 점점 떨어지고 있었다. 조이는 다시 섬을 돌아다니면서 먹을 것을 구하기로 했다. 플라스틱 지팡이를 하나 발견한 다음에는 탐색이 수월해졌다. 해가 져서 더는 탐색할 수 없을 때까지 조이는 300밀리리터 물통 한 개와 복숭아 통조림 하나, 바닷물이 들어가 눅눅해진 비스킷 한 통을 주웠다. 조이는 딱딱한 플라스틱 상자 하나를 구한 다음 땅을 파는 데 사용했다. 땅을 파낸 자리에다 플라스틱을 이리저리 얼기설기 엮었더니 침대 비슷한 잠자리가 만들어졌다. 안락함과는 거리가 멀었지만 바닥의 한기를 막아 줄 수는 있었다. 조이는 플라스틱 침대에 누워 하늘에서 내려다본 도시의 불빛처럼 까마득하게 멀리서 작게 반짝이는 별빛들을 올려다보왔다.

플라스틱 상자에 들어 있는 자신의 모습을 하늘에서 내려다본다면, 큼지막한 도시락처럼 보일지도 모르겠다는 생각이 들었다. 뒤척일 때마다 플라스틱이 삐걱대는 소리가 들려서 깊이 잠들기는 힘들었다. 그래도 조이는 소리가 나는 게 좋았다. 플라스틱이 내는 소리를 들으면 살아 있는 생물과 함께 누워 있는 것 같았다. 왼쪽으로 돌아누우면 오른쪽 엉덩이에 있던 컴퓨터 보호용 대형 플라스틱 상자가 소리를 질렀고, 다시 반대로 돌면 이삿짐 상자로 쓰이던 플라스틱이 삐걱거리면서 비명을 질렀다. 눕기 전에 외웠던 성분표 속의 이름을 소리 내어 발음해 보았다.

아데노신, 나이아신아마이드, 티타늄디옥사이드, 에칠헥실메톡시신나메이트, 에칠헥실살리실레이트, 디페닐실록시페닐트리메치콘, 부틸렌글라이콜, 알루미늄하이드록사이드, 바륨설페이트, 페닐트리메치콘……

몇 개는 틀린 것 같지만 상관없었다. 눈앞에서 반짝이는 별들과 잘 어울리는 낭독이었다. 만약 아직까지 이름 없는 별이 있다면 소개해 주고 싶을 만큼 어울리는 이름들이었다. 별 중에는 이미 소멸한 것도 많을 것이다. 아마 별들은 재활용되지 않을 것이다. 한 번 쓰이고 별빛을 남긴 채 소멸할 것이다. 조이는 지상의 폐품 위에 누워 재활용되지 못하는 별을 바라보았다. 조이는 자신 역시 일회용이라는 생각이

들었다.

"인간이 일회용이라고?"

수진은 아이스커피 속에 들어 있던 얼음을 씹어 먹으면서 물었다.

"생각해 보면 조이 말대로 일회용이긴 하지."

알렉스는 휴대 전화로 게임을 하고 있었다. 미로를 빠져나가는 종 류였는데, 아직은 헤매는 중이었다.

"인간이?"

"그럼 몇 회용인데?"

"일회용이라고 하기엔 너무 오래 사는 거 아냐?"

"일 회의 개념을 어떻게 생각하느냐에 따라 달라지겠지."

"한 번뿐인 인생이다, 뭐 이런 얘기야?"

"부활이나 내세 같은 게 없다는 거지. 죽으면 끝나는 거고, 아무도 신경 쓰지 않으니까."

"하긴, 내가 소설을 쓰는 이유도 그래서인지도 모르겠다."

"소설 쓰는 이유?"

"소설이야말로 생명 연장의 꿈이 실현되는 거잖아. 내가 살아 보지 못한 인생을 마음껏 쓸 수 있으니까."

"소설가의 상상력으로 이 게임의 미로 좀 해결해 줄래?"

"소설가의 상상력은 그런 하찮은 데 쓰는 게 아냐."

"이게 하찮아? 지금 얼마나 중요한 스테이지인데……. 여길 넘어 가야 엔딩을 볼 수 있단 말야."

"엔딩 봐서 뭐 하게."

"뭐 하다니, 엔딩을 봐야 마음이 후련하지. 해피 엔딩인지, 새드 엔딩인지, 그걸 모르면 게임을 끝낼 수 없어. 과정이 아무리 좋아도 새드 엔딩이면 뭔가 찜찜하단 말이야."

알렉스가 하던 게임이 뭐냐고 내가 물었는데 수진은 이름을 대지 못했다. 게임의 분위기와 주인공의 외모 묘사, 미로의 형태를 듣고 나서 어떤 게임인지 곧바로 알 수 있었다. 난도가 높은 게임은 아니었다. 수중 미로가 조금 복잡하고, 건물 위로 올라가는 비밀 문에 약간의 트릭이 있는 것 말고는 평범한 게임이다. 어떤 게임을 좋아하는가에 따라 그 사람의 성격을 알 수 있는데, 알렉스는 아마도 엔딩에 집착하는 스타일인 것 같았다. 게임의 과정을 즐기는 사람이 있고, 반드시 게임의 끝을 봐야 하는 사람이 있다. 엔딩에 집착하는 사람은 어려운 게임을 좋아하지 않는다.

수진에게 이야기를 들으면서 나는 조이가 값진 경험을 했다는 생각이 들었다. 살아 돌아온 것을 알고 있기 때문에 그러는 게 아니라 플라스틱 섬에서 생존한 경험은 흔히 할 수 있는 게 아니니까. 게다가 '에코 플라스틱'이라는 이름으로 자연 분해되는 플라스틱이 개발된 것이 10년도 지난 일이니까 수년이 더 지나면 조이가 겪은 일은 더욱 희귀한 경험으로 남게 될 것이다. 이제 플라스틱은 불사의 존재가 아니다. 플라스틱도 인간과 똑같이 썩고, 소멸하고, 살아 돌아오지 못한다. 플라스틱 섬이라는 이름도 없어질지 모른다. 플라스틱을 쓰레기로 생각하는 생각도 점차 바뀌게 될 것이고, 오히려 바다에서 플라스틱을 만나면 반가워할지도 모른다. 나는 이야기를 듣고 난 몇 달 후, 수진에게 에코 플라스틱 자료를 보여 주었다.

"와, 벌써 에코 플라스틱이 상용화됐구나. 2020년 때만 해도 뉴스에서 쓰레기가 지구를 삼켜 버릴 것처럼 매일 떠들더니 이런 건 왜 보도를 안 한대?"

나는 그게 언론의 속성이라고 말해 주었다. 그때는 수진이 조이의 이야기를 소설로 바꾸는 걸 포기한 시점이라 더 이상의 대화는 이뤄지지 않았다. 썩는 플라스틱과 썩지 않는 플라스틱에 대한 이야기를 수진과 하고 싶었다. 보여 주려고 준비한 자료도 있었다. 플라스틱을 먹고 죽은 레이산 앨버트로스의 사진이었다. 아마 수진도 이 사진을 알 것이다. 소설에다 앨버트로스 이야기를 넣을 생각도 했으니까. 어미가 가져다준 플라스틱 먹이를 먹고 새끼 레이산 앨버트로스는 굶어 죽는다. 죽어서 썩은 앨버트로스의 소화 기관에는 플라스틱 병뚜껑과 플라스틱 라이터가 고스란히 남아 있다. 극적인 대비, 썩은 것과 썩지 않은 것, 죽음과 영생, 산다는 것의 의미, 화석에서 발견한 유적에 대한 이야기를 수진과 하고 싶었다.

조이는 3일째 되는 날부터 낚시를 시작했다. 낚시랄 것도 없는 게 섬의 북쪽 해변에 거의 죽은 채 방치된 물고기를 건져 올리면 됐다. 낚시를 시작하게 된 계기는 쓰레기 사이에서 발견한 플라스틱 라이터였다. 라이터는 운 좋게도 비닐봉지에 밀폐 보관돼 있었고, 압전식 점화 장치를 누르자 몇 번 만에 불이 붙었다. 조이는 물고기를 구워 먹을 생각에 신이 나서 섬을 뛰어다녔다.

방치된 물고기는 정상이 아닌 게 분명했다. 제대로 숨을 쉬지 못하고 전기 고문을 받는 것처럼 비정상적으로 몸을 떨었다. 조이는 날카로운 플라스틱의 모서리로 물고기의 배를 갈랐다. 그 안에도 플라스틱이 들어 있었다. 플라스틱은 어디에나 있었으니 놀라울 게 없었다. 플라스틱 독소가 물고기의 지방과 근육에 쌓였겠지만, 그 물고기를 먹으면 조이의 몸속에도 독소가 축적되겠지만, 그런 걸 가릴 상황이 아니었다. 수영장 벽에 붙어 있던 플라스틱을 뜯어 먹고 우울해진 돌고래의 이야기를 텔레비전에서 본 기억이 났다. 플라스틱 과다 섭취의 증상이 우울이라면 걱정할 필요가 없었다. 조이는 세상 그 누구보다 우울한 상태였다. 더 우울해진다고 해도 허기로 인한 우울보다는 나을 것이다.

"물고기를 구워 먹은 거야? 난 영화에서 물고기 구워 먹는 장면 보면 되게 부럽더라."

"나도 그런 로망이 있었어. 외딴섬에서 낚시한 물고기를 나무 꼬치에 꿰어 먹는 장면. 처음으로 먹은 물고기가 맛있었냐고 물어봤더니 조이가 뭐라고 했는 줄 알아?"

"맛있었겠지. 플라스틱에 중독되었든 아니든 세상 그 어떤 물고기보다, 앞으로 먹을 평생의 물고기보다 맛있었겠지."

"맛이라는 단어를 떠올리지도 못했대."

"왜?"

"조이의 말을 그대로 옮기자면 '죽음에 대한 두려움' 때문이었대. 어떻게 죽은 물고기인지 이유를 알 수 없어 찜찜하지만, 물고기를 먹지 않으면 100퍼센트 죽는 거잖아. 안 먹고 100퍼센트 죽느냐, 위험을 무릅쓰고 살아날 수 있는 50퍼센트의 확률을 선택하느냐. 그런데 죽을 확률을 100퍼센트에서 50퍼센트로 낮추고 나니까 오히려 더 무섭더래. 물고기를 다 먹고 나서 한 시간 동안 가만히 앉아 있었대."

농담이 하나 떠오른다. 축구 감독이 경기 전 인터뷰에서 했던 말이다. "승리하기 위해서는 무조건 실수를 줄여야 합니다. 선수 한 사람이 자신의 실수를 10퍼센트씩만 줄여 준다면……, 110퍼센트가 될 것이고, 그러면……, 왜 100퍼센트가 넘는 거죠?" 감독이 당황하는 모습이 텔레비전 화면에 잡혔다. 10퍼센트에다 11명을 곱했더니 당황스럽게 110퍼센트가 된 것이다. 100퍼센트가 넘는 순간 인간들은 당황한다. 100퍼센트는 모든 걸 설명해 주지 못할 때도 있다. 죽을 확률이 80퍼센트라고 해도 살아날 확률이 20퍼센트라고 말할 수는 없다. 모든 경우의 수를 합한다고 무조건 100퍼센트가 되는 것도 아니다.

"이상 없대?"
수진이 호기심 어린 눈빛으로 알렉스에게 물었다.
"아직은……."
알렉스가 대답했다.

"얼마나 먹은 거지?"

"몇 마리를 먹었는지는 모르겠지만 섬에 있었던 건 열흘이었어."

"열흘이면 아주 길진 않네."

"그렇지."

사흘째부터는 물고기를 즐기기 시작했다. 죽어 있는 새를 먹은 적도 있었다. 새의 위 속에도 큼지막한 플라스틱이 가득 차 있었다. 작은 플라스틱 조각부터 아이 손바닥만 한 플라스틱 조각까지 색깔도 크기도 제각각이었다. 조이는 날카로운 플라스틱으로 새의 가죽을 벗겨 내고 내장을 걷어 내고 꼬치에 꿰어서 구워 먹었다. 조이는 플라스틱에 불을 붙여서 물고기와 새를 조리했다. 플라스틱은 종이 대신 쓸 수 있는 좋은 재료였다. 플라스틱을 태우면 매캐한 연기가 눈을 찔렀지만 화력은 종이보다 나았다. 땔감이 많지 않았으므로 조리에는 한계가 있었지만 그래도 어느 정도 익혀 먹을 수 있었다. 조이 주변에는 모든 것이 플라스틱이었다.

에코 플라스틱이 개발된 것이 너무 늦었다고 지적하는 사람들도 많다. 바다는 이미 오염되었고, 레이산 앨버트로스를 비롯한 몇몇 새들과 몇몇 거북과 몇몇 고래는 이미 멸종되었으며, 전 세계가 에코 플라스틱을 이용하기까지는 앞으로도 몇 년의 세월이 더 필요할 것이기 때문이다. 그래도 내 생각에 너무 늦은 것은 아니다.

조이가 구조될 수 있었던 것도 플라스틱 때문이었다. 플라스틱 라이터로 불을 피울 수 있었고, 플라스틱이 타면서 검은 연기를 지속적으로 내뿜었기 때문에 구조대에게 발견될 수 있었다. 섬으로 다가오는 배를 보면서 조이는 눈물을 흘렸다. 자신의 아늑한 침실 역할을 했던 구덩이 속 플라스틱들을 보았다. 거기에서 마치 자신을 배웅하는 듯한 문장을 보았다. 미키 마우스와 미니 마우스가 그려진 디즈니랜드의 플라스틱 박스에 쓰인 문장이었다.

지구에서 가장 행복한 곳

조이는 그 문장을 보자 웃음이 났다. 배가 가까이 다가왔을 때, 조이는 주머니 속에 들어 있던 플라스틱 라이터를 지퍼 백에 담은 다음 바닥에 내려놓았다. 라이터 속에는 아직도 3분의 1 정도의 가스가 남아 있었다. 그럴 가능성은 제로에 가깝겠지만 누군가 플라스틱 섬에 혼자 남게 된다면 라이터가 도움이 될 것이다.

"나 같으면 기념으로 가져왔을 텐데……."
"책상 앞에 놓아두고 기적을 계속 기억하게?"
"라이터라기보다 그냥 친구 같은 느낌일 것 같아. 혼자 놓아두고 오면 너무 쓸쓸할 것 같아서."
"조이도 그런 기분이 들어서 가져오지 못한 게 아닐까? 원래 있어야 할 자리라는 기분이 들어서."
"와, 파도 다시 높아졌다."

"정말 그러네. 너 들어갈 거야?"

"난 좀 쉴래. 너는?"

"나는 다시 파이프라인으로 들어가 봐야지."

"난 지켜보는 것도 좋아. 음악 들으면서 서핑하는 걸 보고 있으면 사람들이 춤추는 것 같거든."

"소설로 쓸 거야?"

"아직 잘 모르겠어. 생각을 좀 해 봐야지. 헤밍웨이하고도 상의해 보고."

"헤밍웨이?"

"인공 지능 친구 있잖아."

"아, 소설 쓸 때 도와준다는?"

"도와준다기보다 같이 이야기를 나누는 거야. 이야기를 하다 보면 실마리가 풀릴 때가 많거든. 소설로 쓸 만한지 아닌지도 확실하게 알 수 있게 되고."

"이름은 네가 지어 준 거야?"

"초기 세팅할 때 이름을 입력해야 하는데 헤밍웨이가 바로 떠오르더라고, 이름에 'way'가 들어가 있으니까 뭔가 제대로 된 길을 알려 줄 것 같잖아."

"자문 상대로 딱이네. 『노인과 바다』를 쓴 분이니까 조이와 바다 이야기가 소설감으로 괜찮을지 바로 알려 줄 거야."

"잘 얘기해 볼게. 파도 속으로 들어가 봐."

수진은 내게 알렉스의 이야기를 전하면서 큰 소리로 웃었다. 나는 그렇게 웃기지는 않았다. 헤밍웨이라는 이름을 듣고 『노인과 바다』를 떠올리는 건, 뭐랄까, 1차원적인 농담이라고 해야 하나, 지극히 인간적인 연상법이라고 해야 하나. 내 이름이 헤밍웨이지만 『노인과 바다』는 내가 쓴 게 아니다. 수진은 몇 달 동안 시간만 나면 조이에 대한 소설 아이디어를 내게 이야기했다.

"열흘은 좀 짧은 느낌이 있지 않아? 보통 몇 달은 되어야 인간의 본성이 나올 텐데……."

"조이는 남자가 좋을까 여자가 좋을까? 중성적인 이름이니까 이름은 조이로 해도 될 것 같지?"

"살아 있는 레이산 앨버트로스가 나오면 좋을 것 같아. 플라스틱을 잔뜩 먹었기 때문에 이 녀석은 날아가질 못해. 그래서 조이와 친구가 되는 거지. 인간과 앨버트로스의 우정. 내가 찾아봤더니 앨버트로스는 먹은 걸 주기적으로 토해 낸대. 그래서 다 큰 앨버트로스는 플라스틱을 먹어도 생명에 지장이 없는 거지. 앨버트로스는 계속 날지 못하다가 어느 순간 플라스틱을 모두 토해 내. 그러곤 하늘로 날아오르는 거야. 조이는 앨버트로스를 멍하니 바라보고. 어때?"

"보들레르의 시로 시작하면 어떨까? 시 구절 중에 이런 게 있어. '선원들은 심심풀이로 앨버트로스를 붙잡는다.' 소설의 첫 장면은 선원들이 앨버트로스를 가지고 노는 장면이야. 선원들에게 계속 시달리던 앨버트로스 모습을 보여 주고, 마지막엔 앨버트로스가 내장에 있는 플라스틱을 전부 선원들의 얼굴에다 토해 내는 거지. 그런 다음

에 훨훨 하늘로 날아가 버리는 거야. 통쾌하지 않아?"

"표류하는 이야기는 이제 유행이 지난 것 같아. 아무도 그런 거로 소설을 쓰지 않더라고. 우주 이야기를 쓰는 게 나을까?"

수진의 이야기를 열심히 들었고, 나는 매번 진지하게 의견을 이야기해 주었다. 방향을 제시하진 않았지만 막다른 골목에 선 것 같으면 옆길을 슬쩍 보여 주기도 했다. 여러 해 동안 함께 소설 이야기를 나누면서 수진의 상상력에는 깊은 감명을 받았다. 수진은 논리적인 면이 좀 부족했지만, 뜻밖의 상황을 만들어 내는 즉흥성은 뛰어났다. 각자에게 어울리는 이야기는 따로 있는 법이다. 무인도라는 설정이, 플라스틱 속에서 살아남는다는 기묘한 상황이 수진의 상상력과는 어울리지 않았던 것이다. 수진은 조이의 이야기를 버리고 곧장 다음 소설로 뛰어들었다. 요즘 수진이 가장 많이 하는 이야기는 히말라야에서 살아남은 사람들에 대한 주제다. 열심히 대화하고 있지만 얼마나 관심이 지속될지는 모르겠다. 내가 보기에 수진이 완성할 만한 이야기는 아닌 것 같다.

수진이 잠에서 깨어나면 전해야 할 뉴스가 하나 있다. 오늘 아침 포털 뉴스에서 우연히 찾아낸 것이다. 엄밀하게 말하자면 우연이라는 말은 내게 어울리지 않는다. 내게 우연이라는 것은 없고, 인간들의 수사를 따라 해 봤을 뿐이다. 나는 알고 싶은 키워드를 여러 개 등록해 두었고, 키워드와 상관이 있는 뉴스는 모두 검토하고 있다.

#난파 #표류 #조난 #플라스틱 #플라스틱섬 #일회용라이터 #구조

#극적구조 #생존 #생존자

이런 키워드를 포함하고 있는 기사가 오늘 아침에 떴다. 기사의 제목이 모든 것을 요약하고 있다. "플라스틱 섬에서 극적 구조됐던 생존자, 어제저녁 돌연 사망" 제목만 보고도 조이에 대한 이야기란 걸 알 수 있었다. 기사의 내용은 짤막했다. 어젯밤 조이가 죽었고, 원인은 알 수 없다는 것, 자살이 원인인지, 플라스틱 중독 때문인지, 또 다른 이유가 있는지 자세하게 알 수 없다는 것. 조이는 침대에 가지런히 누운 채 발견되었고, 유서는 없었다. 침대 맡의 메모지에는 이런 문장들이 적혀 있었다.

바다에 무언가 던진 적이 있다.
지구의 내장 속에 플라스틱이 있다.

의미가 불명확한 문장들이었다. 어떤 마음으로 쓴 것인지, 의도가 있는지, 자신의 경험을 글로 쓰기 위한 메모인지 알 길이 없었다. 두 문장은 이어진 것이 아니다. 별개의 문장이다. 두 문장이 이어지는 것이라면, 그 사이의 거리는 너무 멀다.

수진이 일어나면 조이의 사망 소식을 알려야 한다. 한 번도 그런 의문이 들었던 적이 없는데, 이번에는 약간 망설여진다. 수진에게 조이의 사망 소식을 알리지 않는 것은 어떨까, 그런 생각이 처음으로 들었다. 조이의 소식을 듣게 된다면 수진은 어떤 반응을 보일까. 포기했던 소설의 끈을 다시 붙잡게 될까. 아니면 간단한 애도로 끝날까.

수진에게 조이의 이야기는 해피 엔딩이었다. 주인공이 플라스틱 섬에서 기적적으로 살아 돌아온 이야기였다. 조이의 사망 소식을 알게 되면 해피 엔딩은 곧바로 새드 엔딩이 될 것이다. 죽음이라는 단 하나의 사건이 개입했을 뿐인데 기쁨이 슬픔으로 바뀌게 되는 것이다. 알렉스가 게임의 엔딩에 그토록 집착했던 것이 이런 이유 때문이었을까. 죽음이 이야기에 개입하는 순간 수진과 내가 나누었던 수많은 이야기가 사라지는 것일까. 플라스틱 섬에서 탈출한 조이의 기쁨을 내게 전하면서 환하게 웃던 수진의 마음이 모두 없었던 것이 되는 것일까. 인간의 삶에서 어떤 일이 벌어지든 결국 해피 엔딩과 새드 엔딩뿐인 것일까. 나는 처음으로 그런 생각을 하게 되었다.

수진에게 조이의 죽음을 알리지 않더라도 언젠가 알게 될 것이다. 어떤 방식으로든 듣게 될 것이고, 그 소식을 다시 나에게 알릴 것이다. '헤밍웨이, 조이가 죽었대.' 나는 그편이 낫다고 생각했다. 내가 알려 주는 것보다는 수진이 내게 알려 주는 편이 낫다고 생각했다. 나는 수진을 위한 알림창에서 조이의 뉴스를 삭제했다.

알렉스로부터 전자 우편이 도착했다. 수진의 서핑 장면을 찍은 동영상이었다. 수진은 보드 위에서 환하게 웃고 있었다. 낮은 터널 같은 파도가 머리 위로 지나갔고, 수진은 춤을 추는 것처럼 보였다. 두 팔은 위아래로 움직였고, 무릎도 리드미컬하게 움직였다. 전자 우편의 본문에는 "우리는 곧 떠날 거야. 우리는 서프보드에 왁스를 칠하고 있지."라고 적혀 있었다. 비치 보이스의 노래 「Surfin' U.S.A.」를 인용한 것이다. 알렉스도 아직까지는 조이의 죽음을 알지 못하는 모양이다. 수진은 곧 잠에서 깨어날 것이고 자신의 서평 동영상을 보게 될 것이다.

김애란

2002년 단편 소설 「노크하지 않는 집」으로 대산대학문학상을 받으며 작품 활동을 시작했다. 소설집 『달려라, 아비』, 『침이 고인다』, 『비행운』, 『바깥은 여름』, 장편 소설 『두근두근 내 인생』, 산문집 『잊기 좋은 이름』 등을 썼다. 이상문학상, 동인문학상, 이효석문학상, 신동엽창작상, 김유정문학상, 젊은작가상 등을 수상했다.

04

노찬성과 에반

두 해 전 찬성은 아버지를 여의고 여름 방학을 맞았다. 찬성의 아버지는 갓길에서 사고를 당했다. 찬성은 할머니로부터 아버지의 트럭이 전복돼 아버지와 함께 불탔다는 얘기를 들었다.

한동안 집에 낯선 사람이 오갔다. 찬성은 마룻바닥에 누워 플라스틱 경찰차를 만지는 척하며 어른들 대화를 엿들었다. 옆으로 고개를 틀 때마다 끼익 – 끼익 – 소리를 내는 선풍기가 '약관'이나 '고의', '증거' 같은 말을 나른하게 실어 왔다. 집 밖에선 매미가 울었다. 방문객중 한 사람이 찬성의 아버지가 '우연히 돌아가신 게 아니'라 했다. 정확히 그런 식으로 말한 건 아니나 찬성은 그렇게 이해했다. 보험금은 한 푼도 나오지 않았다.

길고 무더운 여름이었다.

찬성은 K시의 한 고속 도로 휴게소 근처에 살았다. 이웃이라 해 봐야 산자락에 띄엄띄엄 박힌 농가 몇 채가 전부인 동네였다. 찬성의 할머니는 휴게소 분식 코너에서 일했다. 급식이 끊기는 방학마다 찬성은 휴게소에 들러 자주 끼니를 때웠다. 초등학생 걸음으로 사십 분 걸려 도착한 곳에서 오 분 만에 그릇을 비우고 다시 집으로 걸어갔다. 할머니는 찬성에게 식대 겸 용돈으로 매일 이천 원씩 줬다. 날이 궂거나 곧장 집에 가기 싫을 때 찬성은 등나무 그늘 아래 벤치에 앉아 관광객 흉내를 냈다. 그러면 자기도 그곳에 들른 사람, 잠깐 쉬는 사람, 이제 막 먼 데서 돌아왔거나 떠날 사람이 된 기분이 들었다. 그래서 어느 땐 거기 몇 시간씩 앉아 있곤 했다. 날이 후텁지근하고, 방학은 길고, 그해 여름은 왠지 모든 게 지겨웠으니까.

휴게소에서 월급을 받기 전, 찬성의 할머니는 졸음 쉼터에서 몇 년간 커피를 팔았다. 갓길을 확장한 형태의 주차 공간에 이동식 화장실과 녹슨 운동 기구가 놓인 곳이었다. 연일 계속되는 폭우로 도로에 물안개가 일고, 황사가 눈을 가려도 할머니는 늘 같은 자리에 앉아 손님을 기다렸다. 그 시절 찬성은 인생의 중요한 교훈을 몇 가지 깨달았는데, 돈을 벌기 위해선 인내심이 필요하다는 것과 그 인내가 무언가를 꼭 보상해 주진 않는다는 점이었다. 찬성은 그곳에서 새소리와 바람소리, 자동차 배기가스와 어른들의 하품을 먹고 자랐다. 환한 대낮, 차 안에서 일제히 잠든 이들은 모두 피로에 학살당한 것처럼 보였다. 혹은 졸음 쉼터 자체가 자동차 묘지 같았다. 찬성이 떼를 쓰거나 큰 소리로 울면 할머니는 입술에 손을 대며 무섭게 다그쳤다. 당시 찬성이 맡은 가장 중요한 일은 잘 크는 것도 노는 것도 아닌, 어른들의 잠을 깨우지 않는 거였다.

저물녘, 지평선 너머 끝없이 펼쳐진 아스팔트 위로 붉은빛이 번지면 할머니는 스스로 하루 노고를 치하하듯 담배를 꺼내 물었다. 능숙한 폼으로 고개 숙여 담배에 불을 붙인 뒤 "주여, 저를 용서하소서……." 했다.

─할머니, 용서가 뭐야?

아이스박스 캐리어 옆에서 흙장난을 치던 찬성이 물었다.

─없던 일로 하자는 거야?

할머니는 대답 대신 볼우물이 깊게 패게 담배를 빨았다. 담배 연기가 질 나쁜 소문처럼 순식간에 폐 속을 장악해 나가는 느낌을 만끽했다. 그 소문의 최초 유포자인 양 약간의 죄책감과 즐거움을 갖고서였다.

─아님, 잊어 달라는 거야?

찬성이 채근하자 할머니는 강마른 손가락으로 담뱃재를 바닥에 톡톡 털며 무성의하게 대꾸했다.

─그냥 한 번 봐 달라는 거야.

저녁마다 두 사람은 마당 한쪽에 연결된 수도 앞에서 몸을 씻었다. 손에 비누 거품을 충분히 내 목덜미와 귓바퀴, 콧구멍 속 매연을 닦아

냈다. 할머니는 기미 긴 얼굴에 로션을 찍어 바른 뒤 안방에 두꺼운 요 두 채를 폈다. 그러곤 이불 위에 앉아 그날 번 돈을 세며, 아직 초등학교에도 들어가지 않은 찬성에게 물었다.

—너, 대학에는 안 갈 거지? 그렇지?

찬성이 이불 위에 누워 티브이 만화 주제가를 흥얼거리다 답했다.

—그게 뭔데?

할머니는 찬성을 지그시 바라보다 "그러게 말이다." 하고 딴청을 피웠다.

시골 밤은 길고 지루했다. 할머니는 전기세를 아낀다며 초저녁부터 집에 모든 불을 끄고 잠자리에 들었다. 찬성은 할머니가 코 고는 소리를 들으며 눈꺼풀이 무거워질 때까지 천장을 바라봤다. 그러다 어느 땐 하도 심심해 어둠 속에서 혼자 작은 손을 고물거려 무언가 만들어 냈다. 엄지를 쫑긋 세운 뒤 나머지 손가락을 두 개씩 붙여 제 몸에서 개 한 마리를 불러냈다. 도베르만이나 셰퍼드를 닮은 경비견이었다.

'이럴 때 나도 스마트폰 있으면 좋은데.'

찬성은 아버지가 휴대 전화 손전등 기능을 이용해 천장에 빛을 쏜 걸 기억했다. 벽에 비친 개 그림자는 그 빛으로 만든 거였다. 찬성이 두 쌍의 손가락을 벌렸다 오므리며 개 짖는 시늉을 했다. 빛이 없어 자기 그림자를 갖지 못한 작은 개가 찬성의 손목 아래서 자꾸 소리 없이 짖어 댔다.

하루 또 하루가 갔다. 담장 밖 개구리 울음은 매미 소리로, 다시 귀뚜라미 소리로 바뀌었다. 할머니는 이따금 찬성 뺨에 볼을 비비며 '우리 강아지'라 했다. 평소 스킨십에 인색한 할머니의 포옹이 어색하고 반가워 찬성은 애매하게 웃었다.

─우리 강아지, 얼른 자라라. 어서 커서 할머니한테 효도해야지?

잠이 오지 않을 때 찬성은 어둠 속 빈 벽을 바라보며 자주 잡생각에 빠졌다. 그럴 땐 종종 할머니가 일러 준 '용서'라는 말이 떠올랐다. 없던 일이 될 수 없고, 잊을 수도 없는 일은 나중에 어떻게 되나. 그런 건 모두 어디로 가나. 하나님은 어째서 할머니를 자꾸 봐주나. 둘이 친한가 하고. 한 해 또 한 해가 갔다. 할머니는 졸음 쉼터에서 휴게소로 일터를 옮겼고, 찬성 또한 훌쩍 자라 아무 데서나 울지 않는 소년이 됐다. 그렇지만, 그렇다 한들 아버지가 돌아가셨을 때 울지 않을 도리가 없는 열 살이 됐다.

찬성이 그 개와 처음 만난 건 아버지를 여의고 한 달쯤 지나서였다. 찬성은 할머니가 일하는 고속 도로 휴게소에서 그 개를 봤다. 개는 남자 화장실 옆 화단의 철제 울타리에 묶여 있었다. 여러 피가 섞여 정확히 어떤 종이라 말하기 어려운 작고 흰 개였다. 개는 네 발로 꼿꼿이 선 채 도로 끝 한 점을 뚫어져라 응시했다. 마치 그러면 자신에게 일어난 일을 이해할 수 있기나 한 듯. 철제 울타리와 개 사이의 목줄이 끊어질 듯 팽팽했다. 찬성은 개를 슬쩍 한 번 쳐다본 뒤 그 앞을 무심히 지나쳤다. 그리고 할머니가 일하는 분식 코너로 점심을 먹으러 갔다.

같은 날 저녁, 찬성은 휴게소 안 패스트푸드 가게에서 여름 방학 특가 상품으로 나온 주니어 세트를 먹었다. 하루에 두 번이나 휴게소에 오는 일은 드문데, 찬성에게 갑자기 약 심부름을 시킨 할머니가 미안해하며 사 준 거였다. 찬성은 햄버거를 다 먹은 뒤 콜라가 담긴 종이컵을 들고 밖으로 나왔다. 그러곤 등나무 벤치로 가다 낮에 본 흰 개가 여전히 화단에 묶여 있는 걸 봤다. 개는 반나절 사이 꽤 풀이 죽어 있었다. 기품 어린 자세로 먼 곳을 보던 모습은 간데없고 시무룩한 얼굴로 귀와 꼬리를 늘어뜨린 채 엎드려 있었다. 검은 눈동자 안에는 주인을 향한 미움이나 원망보다 '내가 뭘 잘못한 걸까.' 하는 질문과 자책이 담겨 있었다. 전에도 찬성은 그런 개를 본 적 있었다. 한밤중 갓길에 버려진 뒤 앞차를 향해 죽어라 달려가던 개들이었다.
'적어도 차에 치여 죽지는 말라고 여기 묶어 놨나 보다.'
찬성은 휴게소에 남겨진 개들이 어디로 가는지 알고 있었다. 운이 나쁠 경우 어떻게 되는지도. 안타깝긴 하지만 찬성은 그 개도 어른들의 손에 맡길 생각이었다.
'그전에,'
찬성이 혀를 내민 채 가쁜 숨을 몰아쉬는 흰 개를 내려다봤다.

'물이라도 좀 주자.'

찬성이 개에게서 시선을 떼지 않은 채 컵에 남은 콜라를 끝까지 쪽 빨아 먹었다. 그러곤 플라스틱 뚜껑과 빨대를 휴지통에 버린 뒤 컵에 손을 집어넣었다.

—……?

흰 개가 물끄러미 찬성을 올려다봤다. 살짝 경계하는 눈치나 눈에 힘이 없었다. 찬성이 용기 내어 한 걸음 더 다가갔다. 흰 개가 찬성 주위를 빙그르르 돌며 찬성의 몸 냄새를 맡았다. 그러곤 뭔가 결심한 듯 찬성의 손바닥에 코를 대고 킁킁대다 혀를 내밀어 얼음을 핥았다. 순간 물컹하고, 차갑고, 뜨뜻미지근하고, 간지럽고, 부드러운 뭔가가 찬성을 훑고 지나갔다. 난생처음 느껴 보는 감각이었다. 찬성이 두 눈을 깜빡였다. 이윽고 개가 얼음을 날름 입에 넣더니 와삭와삭 씹었다. 와사삭 – 와삭 – 청량하게 얼음 부서지는 소리가 찬성 귀까지 다 들렸다. 찬성이 자기 손바닥을 가만 내려다봤다. 얼음은 사라지고 손에 엷은 물 자국만 남아 있었다. 동시에 찬성의 내면에도 묘한 자국이 생겼는데 찬성은 그게 뭔지 몰랐다. 개가 희고 긴 속눈썹을 치켜올려 찬성을 바라봤다. 찬성이 서둘러 컵에 다시 손을 넣었다. 두 해 전 일이다.

—에반.

찬성은 그 개를 그렇게 불렀다.

—왜 그래, 에반. 어디 아파?

사람 나이로 치면 이미 칠순을 넘긴 노견에게 찬성은 형 노릇을 했다. 찬성은 어쩐지 에반이 자기보다 오래 산 동생, 살면서 이미 많은 걸 경험한 동생처럼 느껴졌다. 찬성이 처음 "에반." 하고 불렀을 때 에반은 딴 곳을 봤다. 당연했다. 그건 자기 이름이 아니었으니까. 찬성은 서운해 않고 에반을 어루만졌다. 에반에게 자기가 모르는 삶과 역사가 있다는 걸 인정하려 애썼다. 그래도 어느 땐 에반의 과거가 너무 궁금했다. 전에는 어떤 이름으로 불렸을까? 주인은 좋은 사람이었을까? 살면서 어디까지 가 봤을까? 나보단 멀리 가 봤겠지? 멋진 영화나 드라마에 나오는 것처럼 주인과 해변도 막 달리고 그랬을까? 그때를 기억할까? 그걸 안다는 건 좋은 걸까? 그렇다면 이젠 어디로 가고 싶을까?

할머니는 에반을 보자마자 성가셔했다. 개 한 마리 키우는 건 사람 한 명 기르는 일과 같은 공이 든다며 고개를 내저었다.

—하긴 사람을 키워 봤어야 알지.

할머니가 살짝 혐오 어린 눈으로 에반을 바라봤다.

—게다가 엄청 늙었잖니?

—얘가 늙었어?

—그래, 저 이빨 봐라. 사람이건 짐승이건 털 빠지고 이 나가면 끝난 거야. 넌 그런 것도 모르면서 개를 키우겠다 하니?

찬성이 '그런가?' 하는 표정으로 에반 등을 쓰다듬었다. 짧고 뻣뻣한 게 정말 털에 윤기가 하나도 없었다.

—두말할 거 없고, 내일 도로 갖다 놔.

찬성의 얼굴에 실망하는 빛이 스쳤다.

—안 그러면 안 돼?

할머니는 찬성과 눈도 마주치지 않고, 방바닥에 쌓인 개털을 유리테이프로 찍어 냈다.

—집에 개가 있으면 도둑이 안 들 거야, 할머니.

—시끄러. 내가 내 손자 밥도 잘 못 챙겨 주는데. 이 나이에 개 수발을…… 어휴, 똥오줌은 또 어쩌고.

보드라운 뺨과 맑은 침을 가진 찬성과 달리 할머니는 늙는 게 뭔지 알고 있었다. 늙는다는 건 육체가 점점 액체화되는 걸 뜻했다. 탄력을 잃고 물컹해진 몸 밖으로 땀과 고름, 침과 눈물, 피가 연신 새어 나오는 걸 의미했다. 할머니는 집에 늙은 개를 들여 그 과정을 나날이 실감하고 싶지 않았다.

—밥은 그냥 우리 먹고 남은 거 주면 되잖아, 응?

할머니가 방바닥에 유리 테이프를 험하게 찍으며 "이 시부랄 놈의 개털, 끝이 없네!" 구시렁거렸다. 할머니가 꿈쩍 않자 다급해진 찬성은 결국 어떤 말을 내뱉고 말았는데, 그 말을 하고 본인도 깜짝 놀랐다. 그러니까 에반을…… 자기가 '책임'지겠다 한 거였다. 태어나 처음 해 본 말이었다.

그즈음 찬성은 자주 악몽에 시달렸다. 할머니가 찬성에게 '이제 너도 다 컸으니 혼자 자라'며 아버지가 쓰던 방을 내어 주고부터였다. 찬성은 매번 비슷한 꿈을 꿨다. 소형 냉장 트럭이 자신에게 달려드는 꿈이었다. 트럭 안에는 털 뽑힌 식용 생닭이 가득 실려 있었다. 트럭은 캄캄한 도로를 질주하다 중앙선 위 찬성을 발견하고 급커브를 했다. 그러곤 곧 중심을 잃고 갓길 아래 낭떠러지로 고꾸라졌다. 절벽 아래서 폭발음과 함께 거대한 불길이 치솟았다. 찬성은 갓길 주변을 초조하게 서성였다. 저기, 아직 사람이 있는데. 내가 아는 사람 같은데. 주위에 모여든 구경꾼들이 '어디서 자꾸 맛있는 냄새가 난다'고 했다. 찬성이 어른들을 향해 '도와달라.' 소리쳤다. 그러면 어디선가 할머니가 나타나 입술에 손을 대며 "쉿" 소리를 냈다. 다정한 목소리로 "울지 마라, 울지 마라, 아가." 하고 찬성을 다독였다.

　—네가 울면

　—……

　—손님들이 깨잖니.

에반을 집에 들인 날 찬성은 오랜만에 어떤 꿈도 꾸지 않고 깊이 잤다. 찬성은 에반이 자길 지켜 줬다고 생각했다. 언젠가 에반에게 무슨 일이 생기면 자기도 에반을 꼭 보호해 줘야겠다고 다짐했다. 그 뒤

찬성과 에반은 늘 같이 잤다. 찬성은 누군가와 꼭 껴안고 자는 기분이 어떤 건지 처음 알았다. 에반의 따뜻하고 작은 몸통이 들숨 날숨을 따라 순하게 오르내리는 것만 봐도 평화로운 기분이 들었다. 찬성은 에반의 말랑말랑한 발바닥을 조몰락거리며 자주 혼잣말을 했다.

— 있잖아, 에반. 이것 봐라. 많이 모았지? 삼만 원도 넘어. 어디에 쓸 거냐고? 으응, 나중에 커서 언젠가 이곳을 떠나게 되면 그때 나도 휴게소에 들러 커피나 한잔하려고.

에반은 자기 다리에 턱을 괴고 누워 눈꺼풀을 천천히 여닫다 먼저 잠들었다. 그래도 찬성의 수다는 밤새 이어졌다.

— 너, 골육종이 뭔지 아니? 무슨 선인장 이름 같지? 그런 게 있대. 우리 아빠가 그 병에 걸리지 않았다면 나도 몰랐을 거야.

하루 또 하루가 갔다. 인간 시계로 이 년, 개들 시력時歷으로 십 년이 흘렀다. 찬성과 에반은 어느새 서로 가장 의지하는 존재가 됐다. 비록 움직임이 굼뜨고 귀가 어두웠지만 에반은 여느 개처럼 공놀이와 산책을 좋아했다. 찬성이 보푸라기 인 테니스공을 멀리 던지면 에반은 찬성의 눈앞에서 사라졌다 반드시 공과 함께 다시 나타났다. 무언가 제자리에 도로 갖고 오는 건 에반이 잘하는 일 중 하나였다. 찬성은 때로 에반이 자기에게 물어다 주는 게 공이 아닌 다른 것처럼 느껴졌다. 그리고 공인 동시에 공이 아닌 그 무언가가 자신을 변화시켰다는 걸 알았다.

그런데 에반이 요즘 좀 이상했다.

✳︎

할머니는 밤 열 시 넘어 집에 들어왔다. 한 손에 검은 비닐봉지를 들고서였다.

─전자레인지에 돌려 먹어.

찬성이 봉지 안을 들여다봤다. 은박지 사이로 설탕 입힌 통감자가 보였다. 찬성이 퇴근한 할머니 뒤를 졸졸 쫓았다.

─할머니, 에반이 좀 이상해.

─지금 안 먹을 거면 냉장고에 넣어 두든가.

할머니가 평소 휴대품을 넣고 다니는 손가방을 안방 바닥에 던지듯 내려놓았다.

─할머니, 에반이 밥을 안 먹어.

─늙어서 그래, 늙어서.

─있지, 내가 공을 던져도 움직이지 않아. 걷다 자주 주저앉고.

─늙어서 그렇다니까.

할머니는 모든 게 성가신 듯 팔을 휘저었다. 그러곤 끄응 소리를 내며 바닥에 이부자리를 폈다.

─저거 봐, 저렇게 자기 다리를 자꾸 핥아. 하루 종일 저래. 아까는 내가 다리를 만졌더니 갑자기 나를 물려고 했어.

할머니가 요 위에 누우려다 말고 상체를 들어 찬성을 봤다.

―아니, 진짜로 문 건 아니고 무는 시늉만 했어.

할머니가 눈을 감은 채 이마에 팔을 얹었다.

―할머니, 에반 데리고 병원 가 봐야 되는 거 아닐까?

―쓸데없는 소리 말고 가서 자. 사방에 불 켜 두지 말고.

할머니의 반팔 소매에 엷은 김칫국물이 묻어 있었다. 찬성이 할머니 옆에 앉지도 서지도 못한 채 주춤거렸다.

―할머니, 에반 병원 데려가야 할 것 같다고.

할머니가 버럭 소리를 질렀다.

―무슨 개를 병원에 데리고 가. 사람도 못 가는 걸. 그러니까 내가 개새끼 도로 갖다 놓으라 했어 안 했어? 할머니 화병 나기 전에 얼른 가서 자. 개장수한테 백구 팔아 버리기 전에. 얼른!

―백구 아니야!

찬성이 전에 없이 큰소리를 냈다.

―뭐?

그러곤 이내 말끝을 흐리며 소심하게 답했다.

―에반이야.

할머니가 한숨을 쉬며 찬성에게 얼른 나가라고 손짓했다. 찬성도 뭐라 더 말 못 하고 제 방으로 돌아왔다. 찬성은 어두운 방안에 누워 천장을 바라봤다. 그러곤 한참 뒤 플라스틱 경찰차 속에 숨겨 둔 삼만 원을 꺼내 지갑에 넣었다.

─어디가 불편해서 왔니?

동물 병원 의사가 물었다.

─에반이 아픈 것 같아서요.

─이 녀석 이름이 에반이니?

─네, 「터닝메카드」에 나오는 메카니멀 이름이에요.

─그래?

의사가 직업적인 미소를 지었다. 지방 신도시 아파트 상권에선 무엇보다 평판과 소문이 중요했다.

─네! 제가 제일 좋아하는 캐릭터예요. 에반은 원래 터닝카인데 메카드를 향해 슈팅하면 메카니멀로 변해요.

의사는 찬성의 말을 거의 알아듣지 못했지만 차트를 보며 노련하게 화제를 돌렸다.

─그리고 너는…… 노찬성이고?

─네? 네…….

찬성이 기어들어 가는 목소리로 대답했다. 성과 이름이 같이 불릴 때 좋은 일이 일어난 경우는 거의 없었다. 교무실에서도 그렇고, 아버지가 입원한 종합 병원에서도 그랬다.

─그래서 결국 찬성한다는 거야, 반대한다는 거야?

찬성은 그런 얘기는 너무 자주 들은 데다 이젠 정말 식상해 대답하기 귀찮다는 듯 어깨를 들썩였다.

─선생님 농담이 재미없다는 의견에는 찬성이에요.

의사가 다시 마른 웃음을 지었다.

─음…… 그런데 견주가 노찬성으로 되어 있네? 너 혼자 왔니? 부모님은?

에반은 긴장한 티가 역력했다. 병원 특유의 소독약 냄새와 선득한 기운이 에반을 불편하게 만드는 것 같았다. 의사는 에반의 다리를 보자마자 살짝 놀라며 "어이쿠, 많이 아팠겠는데?"라고 했다. 이 정도면 다른 곳까지 종양이 퍼졌을 확률이 높다고.

─종양이요?

─그래, 암.

─암이요? 개도 암에 걸려요?

─그럼.

찬성은 암이 뭔지 알고 있었다. 암과 관련된 냄새랄까 비명, 그리고 진이 빠진 얼굴도.

─자세한 건 검사 결과를 봐야 알 테지만 상황이 안 좋은 건 사실이야.

─검사요?

─응. 피도 뽑고 사진도 찍고.

─그게…… 다 하면 얼만데요?

─뭐 검사하기 나름인데. 제대로 하려면 돈이 많이 들 거야. 내일 부모님 모시고 다시 올래?

찬성이 바지 주머니 속 지갑을 표 안 나게 만지작거렸다.

— 그럼 선생님 마음대로 어떤 검사는 하고 어느 건 안 할 수도 있는 거예요?

— 뭐, 말하자면.

— 그럼 저…… 삼만 원, 아니 이만 오천 원어치만 검사해 주세요.

집으로 가는 길, 찬성의 얼굴이 어두웠다. 버스 창문 밖으로 8월의 무자비한 초록이 태연하게 일렁이는 게 보였다. 햇빛도 바람도 그대로인데 갑자기 다른 세상에 온 기분이었다. 몇십 분 사이에 같은 풍경이 전혀 달라질 수 있다는 사실이 놀라웠다.

'아빠도 그랬을까?'

찬성이 고개 숙여 에반을 바라봤다. 에반은 찬성의 무릎에 앉아 미세한 버스 진동을 느끼며 꾸벅 졸고 있었다. 찬성은 의사에게 들은 얘기를 하나하나 되짚었다. '수술을 해도 좋고, 안 해도 좋다'는 게 무슨 뜻인지 곰곰 생각했다. 이럴 때 자신이 무얼 하면 좋을지 알 수 없었다. 찬성이 문득 차고 축축한 기운을 느끼고 아래를 살폈다. 자신의 베이지색 반바지에 테니스공만 한 고동색 얼룩이 보였다. 얼룩은 불완전한 모양의 원을 그리며 점점 크게 번졌다.

— 왜 그래, 에반. 너 안 그랬잖아.

찬성이 에반 귀에 속삭였다. 에반을 나무라기보다 주위에 해명하는 말이었다. 여름이라 버스 안에 비릿한 지린내가 금방 퍼졌다. 조금만 참을까 하다 찬성은 목적지를 두 정거장이나 남겨 두고 버스에서 내렸다. 찬성이 논둑길에 에반을 내려놓고 다정하게 말했다.

— 에반, 조금만 걸어 봐. 응?

에반은 땅바닥에 바싹 엎드린 채 꿈쩍하지 않았다. 찬성은 할 수 없이 에반을 가슴에 안고 어스름 땅거미 진 논둑길을 걸었다. 삼복더위에 개를 안고 걷다 보니 몇 분 만에 티셔츠가 흠뻑 젖었다.

— 다 왔어, 조금만 참아.

병원에서 에반의 청력이 약해졌다는 얘기를 들은 터라 평소보다 목청을 돋웠다. 여기저기 머리를 잘 부딪친다니 시력도 분명 나빠졌을 거라 했다. 문득 안쓰러운 마음이 일어 찬성이 에반의 정수리를 가만 쓰다듬었다. 에반의 입꼬리가 희미하게 올라갔다. 반대로 눈꼬리는 부드럽게 처져 사람이 웃는 것처럼 보였다. 찬성이 고개 들어 남은 거리를 살폈다. 미지근한 논물 위로 하루살이 떼가 둥글게 뭉쳐 비행했다. 마치 허공에 시간의 물보라가 이는 것 같았다. 곧 에반 밥 먹일 시간이라 찬성이 걸음을 재촉했다.

그날 밤 할머니는 자정 넘어 집에 들어왔다. 할머니는 마루에 올라서자마자 호주머니에서 랩으로 싼 버터구이오징어를 꺼내 찬성에게 내밀었다.

— 백구 주지 말고 너만 먹어. 주려거든 머리만 떼어 주든가.

— 할머니 술 마셨어?

찬성은 할머니에게서 술기운과 더불어 향수 냄새가 나는 걸 느꼈다. 할머니는 대답 대신 나일론 소재의 천 가방에서 담뱃갑을 꺼냈다.

그러곤 한 대 남은 담배를 집어 불을 붙인 뒤 한숨 쉬듯 작게 중얼거렸다.

─주여, 저를 용서하소서······.

찬성은 에반을 데리고 혼자 병원에 다녀온 이야기를 할머니에게 할까 말까 망설였다.

─내일 일요일인데 술 마시면 어떻게 해? 교회 안 가?

─어.

─왜?

─그냥 안 가.

─술 누구랑 마셨어?

─원로 목사님이랑.

찬성은 원로 목사님이 얼마나 좋은 분인지 할머니에게 수차례 들어 알고 있었다. 아버지의 장례를 도운 사람도, 보험사가 보험금 지급을 거절했을 때 소송을 알아봐 준 이도 할머니가 다니는 교회의 원로 목사님이었다. 인지대니 송달료니 하는 어려운 말 앞에서 전전긍긍하던 할머니에게 가장 큰 힘이 되어 준 것도 목사님이라고 했다. 비록 보험료 청구 소송은 기각됐지만 "그래도 그만큼 싸워 볼 수 있었던 건 다 목사님 덕분"이라고 할머니는 누누이 말했다. 찬성은 할머니가 하는 얘길 반도 못 알아들었다.

─이제 목사님이 할머니 보기 싫대.

─그게 뭔 소리야?

─무슨 소리긴. 아무 소리도 아니지. 아, 그리고 이거.

할머니가 말을 돌리며 주머니에서 뭔가 꺼냈다.

— 너 전부터 갖고 싶다고 했지?

— 뭐야?

— 휴게소 소장이 핸드폰 바꿨다고 주더라. 액정이 좀 깨졌는데 통화는 되는 거라고. 생각 있으면 가져가라고 하길래 우리 강아지 주려고 챙겨 왔지. 뭔 심인가 칩인가 그것만 넣으면 된다던데?

찬성이 눈을 반짝이며 구형 스마트폰을 받아들었다. 할머니 말대로 왼쪽 모서리에 거미줄 모양의 작은 실금이 갔지만 그만하면 괜찮았다.

— 밥통에 밥 남았지?

찬성이 스마트폰에서 눈을 떼지 않은 채 답했다.

— 응.

— 그럼 할머니 먼저 잘 테니 조금만 놀다 자. 백구 밥그릇에서 쉰내 나던데 좀 씻어 놓고.

할머니가 빈 담뱃갑에 침을 뱉은 뒤 담배를 비벼 껐다. 그러곤 비척비척 컴컴한 안방으로 들어갔다.

찬성은 작은방에 누워 전원도 들어오지 않은 스마트폰을 한참 만지작거렸다. 그러곤 쉬는 시간마다 휴대 전화 게임에 열중하던 반 아이들을 떠올렸다. 사각 모니터 안에 기계인지 생물인지 모를 작은 것들이 바글대며 부서지는 모습을 친구들 어깨너머로 한참 훔쳐보곤 했는데. 찬성은 그 세계가 늘 궁금했다. 친구들이 서로 문자로만 대화하거나 찬성이 용기 내 말을 건네도 액정에서 눈을 떼지 않고 대꾸할 때 특히 그랬다. 찬성은 친구들 사이에 친목이 작동하는 원리와 어휘로부터 소외돼 있었다. 그런데 갑자기 거짓말처럼 그게 생긴 거였다. 아직 통신사와 계약하거나 번호를 튼 건 아니지만 기기가 있으니 언제든 자신이 원하는 세계와 연결될 수 있을 것 같았다. 찬성이 문득 고요함을 느끼고 주위를 둘러봤다. 온종일 끙끙대며 뒷다리를 핥던 에반이 찬성 옆에 곤히 잠들어 있었다. 찬성의 얼굴에 엷은 그늘이 깔렸다. 동물 병원 의사는 에반이 '수술하지 않으면 위험하다'고 했다. 그렇지만 노견이라 '수술이 더 안 좋을 수도 있다'고. 찬성은 그 쉬운 말이 잘 이해되지 않아 몇 차례 눈을 깜빡였다.

— 그러면 할 수 있는 게 아무것도 없는 거예요?

의사가 숨을 고른 뒤 차분하게 답했다.

— 마지막 방법으로…… 드물게 안락사를 선택하는 분들이 있어.

— 그게 뭔데요?

— 아픈 동물 친구를 곤히 재운 뒤 심장 멎는 주사를 놔 주는 거야. 편안하라고.

의사는 "그러고 나서 후회하거나 힘들어하는 사람도 많으니 신중하게 결정할 일"이라는 말을 잊지 않았다. 일단 에반에게 잘해 주라고, 살아 버티는 동안 무척 고통스러울 테니 옆에서 잘 다독여 주라고 했다. 그렇지만 찬성은 어떻게 해야 잘해 주는 건지, 에반이 진짜 원하는 게 뭔지 알 수 없었다. 때마침 건넛방에서 할머니가 한숨 토하듯 "아이고, 죽어야 모든 고통이 사라지지. 죽어야 근심이 없지. 하나님나 좀 조용히 데리고 가요.”라고 말하는 소리가 들려왔다. 찬성이 몸을 돌려 에반을 뚫어져라 바라봤다. 서로 코가 닿을 정도로 가까운 거리였다.

'네가 네 얼굴을 본 시간보다 내가 네 얼굴을 본 시간이 길어⋯⋯ 알고 있니?'

에반의 젖은 속눈썹이 미세하게 파들거렸다. 찬성이 에반의 입매, 수염, 콧방울, 눈썹 하나하나를 공들여 바라봤다. 그러자 그 위로 살아, 무척, 버티는, 고통 같은 말들이 어지럽게 포개졌다.

─있잖아, 에반. 나는 늘 궁금했어. 죽는 게 나을 정도로 아픈 건 도대체 얼마나 아픈 걸까?

─⋯⋯.

─에반, 많이 아프니? 내가 잘 몰라서 미안해.

─⋯⋯.

─있잖아, 에반. 만약에 못 참겠으면⋯⋯ 나중에 정말 너무너무 힘들면 형한테 꼭 말해. 알았지?

에반이 끙 소리를 냈다. 찬성은 몸을 돌려 바로 누운 뒤 어둠 속 빈 벽을 한참 바라봤다.

찬성은 복도식 아파트의 각 현관에 A4 크기의 종이를 붙였다. 사십 장 단위로 소분해 모서리마다 미리 유리 테이프를 붙여 둔 거였다.

'고등부 국어 과외', '과외보다 막강한 1대 3 시스템, 소수 정예 그룹', '내신 대비 특별 교재, 기말 성적표가 확 바뀝니다'. 그 밖에 피아노와 태권도 학원을 비롯해 미용실과 헬스장, 치킨, 피자 배달 업체 광고도 많았다. 전단지 배포 아르바이트 면접 때 찬성은 제 나이를 조금 올렸다. 다행히 학생증을 보자는 데는 없었다. 키가 닿지 않는 곳에 위치한 우편함은 까치발을 하거나 제자리 뛰기로 해결했다. 공동 현관 비밀번호가 필요한 신축 아파트는 되도록 피했지만 가끔은 모른 척 입주민 뒤를 따라 들어갔다. 앳된 얼굴에 책가방을 멘 찬성을 의심하는 이는 거의 없었다. 그래도 남의 집 대문에 전단지를 붙이는 중 누군가 불쑥 문을 열고 나오면 가슴이 쿵쾅거렸다.

할당량은 생각만큼 빨리 줄지 않았다. 엘리베이터가 없는 빌라와 원룸도 많고 사람들은 지나치게 방어적이거나 무심하거나 신경질적이었다. 아르바이트를 시작한 지 하루 만에 찬성은 자기가 전단지 배포를 너무 만만하게 봤다는 걸 깨달았다. 살면서 이렇게 몸 쓰는 일로 무리를 해 본 적이 없었다. 첫날부터 다리에 알이 배어 계단을 오르내리는 일 자체가 곤욕이었다. 그만두고 싶을 때마다 찬성은 주문처럼 "한 장에 이십 원, 천 장 돌리면 이만 원……."이란 말을 중얼거렸다. 그러면 조금 더 버텨 볼 힘이 났다. 며칠간 휴게소에도 들르지 않고 초저녁이면 기절하듯 자는 찬성을 할머니는 별로 수상쩍어 하지 않았다. 그저 딱 한 번 "너, 얼굴이 왜 그렇게 탔냐?" 묻고 말았을 뿐이다.

작업은 혼자 할 때도 있고 여럿이 조를 짜 움직일 때도 많았다. 한 번은 같은 조에서 일하는 중학생 형이 아파트 계단에 앉아 파란색 이온 음료를 들이켜며 물었다.

—야, 너 이거 왜 하냐?

찬성은 당황한 기색을 감추며 말을 돌렸다.

—형은요?

—나야 뭐 그냥 담뱃값 벌려고 하는 거고.

—네에…….

—넌? 초딩이 돈을 얻다 쓰게?

찬성이 주저하다 솔직하게 답했다.

—누가…… 좀 아파서요.

—아…….

중학생이 새삼 선량한 어조로 물었다.

—근데 이걸로 돼?

찬성이 눈을 내리깔며 침울하게 답했다.

—우리 개는 작아서 십만 원쯤 든대요.

—어? 뭐? 개?

중학생은 잠시 혼란스러워하다 세상 물정 밝은 어른인 척 "요즘은 동물 병원비도 졸라 비싸다."라며 불평했다.

—아니, 그게 아니고요. 개 안락사비가 그 정도 든다는데, 제가 돈이 없어서…….

중학생이 무언가 곰곰 생각하다 찬성에게 대뜸 핀잔을 줬다.

―뭔 소리야. 이 새끼 완전 또라이네.

정해진 구역을 다 돌면 찬성은 아파트 단지 내 놀이터에서 종종 숨을 골랐다. 유리 테이프와 가위, 전단지 및 수건과 물병이 든 책가방을 멘 채 나무 그늘에 앉아 동네 아이들 노는 걸 구경했다. 삼삼오오 벤치에 모인 엄마들이 육아 정보를 공유하고, 한담을 나누며, 걱정과 관심, 애정이 담긴 눈으로 자기 자식 바라보는 모습을 관찰했다. '아, 엄마들은 아이를 저렇게 보는구나.', '저런 눈빛으로 대하는구나.' 흘 끔거렸다. 그때마다 찬성은 이상하게 태어나 한 번도 얼굴을 보지 못한 엄마 대신 에반이 떠올랐다. '에반도 이런 데서 산책하면 좋을 텐데.', '에반도 저런 간식 주면 흥분할 텐데.' 아쉬워했다. 에반은 요즘 찬성이 다가가도 쳐다보지 않았다. 흐릿한 눈으로 멍하니 허공만 응시했다. 찬성이 밥에 날계란을 풀어 주고, 할머니 몰래 참치 통조림을 얹어 줘도 고개 돌리는 날이 많았다. '요새 내가 자꾸 집을 비워 삐진 걸까?' 미안한 마음이 들었지만 최대한 돈을 빨리 모으려면 어쩔 수 없었다.

목표한 돈을 다 모은 날 찬성은 마루에 엎드려 단순한 산수를 했다. 일주일간 전단지 오천 장 이상을 돌려 십일만 사천 원을 벌었다. 살면서 처음 만져 보는 돈이었다. 찬성은 구체적인 노동의 대가를 만지며 뜻밖에 긍지와 보람을 느꼈다. 애초 목적과 달리 예상치 못한 성취감에 살짝 어른이 된 기분이 들었다. 마지막 날, 너무 지겨운 나머지 전단지 사십 장 정도를 남의 집 옥상에 몰래 버리고 왔지만, 그것 빼곤 정말 죄 묻지 않은 돈이었다. 찬성은 만 원짜리 열한 장과 천 원짜리 네 장을 가지런히 모아 각을 맞춘 뒤 지갑에 넣었다. 그러곤 안방으로 가 할머니 신분증을 몰래 챙겼다. 안락사 동의서를 작성할 때 어른 신분증이 필요할지도 모른다는 생각에서였다.

다음 날 찬성은 평소보다 일찍 일어나 동물 병원에 갈 차비를 했다. 할머니는 이미 휴게소로 출근하고 없었다. 마당 한쪽에 연결된 수도에 세숫대야를 놓고 찬성은 에반을 씻겼다. 귀에 물이 들어가지 않도록 양쪽 귀를 잘 잡고, 몸에 비누 거품을 묻혀 구석구석 닦았다. 그 목욕이 어떤 목욕인지 아는지 모르는지 에반은 어린 찬성 손에 순순히 몸을 맡겼다.

— 시원해? 에반?

혈관이 비쳐 살짝 분홍빛이 도는 에반 귀를 조심스레 문지르며 찬성이 물었다.

— 나는 너 이런 데도 닦아 줘야 하는지 잘 몰랐어. 그래서 의사 선생님한테 좀 혼났어. 그동안 많이 답답했지?

찬성은 옷장에서 가장 단정해 보이는 옷을 꺼내 입었다. 왜 그런지 모르지만 그래야 할 것 같았다. 찬성이 차분한 얼굴로 검은색 반팔 셔

츠의 단추를 잠갔다. 그러곤 지갑 속 현금을 한 번 더 확인하고 마루에 걸터앉아 운동화를 신었다. 가는 길에 일진 형들이라도 만나면 어쩌나 괜한 걱정이 들었다. 찬성이 목욕 후 털이 부풀어 보송보송해진 에반을 사랑스럽게 바라봤다. 그러곤 에반의 목덜미를 한 번 쓰다듬은 뒤 광에서 손수레를 꺼냈다. 오래전 할머니가 졸음 쉼터에서 사용한 아이스박스 캐리어였다. 뽀얗게 먼지가 내려앉은 걸 고무호스로 쏴아아 물을 뿌려 씻어 내고, 뚜껑을 분리해 떼어 낸 뒤 수건을 깔았다. 그러곤 거기 얼음 대신 에반을 넣었다. 에반 옆에 작은 물그릇과 물통을 넣는 일도 잊지 않았다. 마지막이라고 생각하자 기분이 무척 이상했지만, 마지막이라도 도울 수 있어 다행이었다. 오늘 하루 중요한 일을 치른다는 사실에, 그리고 모든 걸 오로지 혼자 준비했다는 생각에 찬성은 경건한 긴장감을 느꼈다.

참사랑동물병원은 아파트 단지 내 편의 시설이 밀집한 상가 건물 일 층에 있었다. 산뜻한 크림색 외벽에 통유리가 시원하게 달린 신축 병원이었다. 상호가 박힌 노란 간판엔 검정색 개 발바닥 도장이 찍혀 있어 전체적으로 다감한 인상을 풍겼다. 유리벽에 붙은 '살인 진드기 집중 예방 기간'이라든가 '강아지를 찾습니다'라는 문구가 적힌 인쇄물을 보며 찬성은 왠지 모를 안정과 신뢰를 느꼈다.

—다 왔어, 에반.

병원에 들어서기 전 찬성이 뒤를 돌아봤다. 허리 숙여 에반과 눈을 맞추고 싶었지만 마음이 흔들릴 것 같아 꾹 참았다. 한 손에 손수레

손잡이를 잡은 찬성이 반대쪽 어깨에 힘을 실어 병원 유리문을 밀었다. 순간 어떤 힘이 찬성을 바깥으로 확 밀어냈다.

—어?

현관 위 금속 종이 쨍그랑 소리를 냈지만 유리문은 꿈쩍하지 않았다. 찬성이 얼떨떨한 얼굴로 한 발짝 뒤로 물러섰다. 그리고 그때서야 유리문에 붙은 공지문을 발견할 수 있었다.

'상중喪中. 주말까지 쉽니다.'

찬성은 상중이란 단어의 뜻을 정확히 알지 못했지만 그것이 죽음과 관련된 말이라는 걸 직감적으로 알 수 있었다. 찬성은 묘한 안도를 느꼈다.

찬성은 상가 주위를 배회하다 인근 아파트 단지 놀이터로 갔다. 전에 전단지를 돌리며 몇 번 와 본 곳이었다. 찬성은 등나무 그늘에 앉아 잠시 쉬었다. 아침부터 온종일 긴장한 탓에 피로가 밀려왔다. 아이스박스 속 에반이 잠에서 깨 고개를 들었다. 그러곤 자신을 걱정스레 내려다보고 있는 찬성의 얼굴을 흘깃댔다. 몇몇 사내아이들이 왁자지껄 찬성 앞을 지나갔다. 서로 스마트폰을 들여다보며 저희끼리 뭐라 참견하고 장난치며 웃어 댔다. 찬성이 위축된 얼굴로 그 아이들을 바라봤다. 그러곤 자신의 불룩한 바지 주머니를 한 번 만진 뒤 자리에서 일어났다.

집으로 가는 길, 찬성은 버스 정류소 근처의 휴대 전화 대리점을 지나쳤다. 찬성은 버스를 기다리다 진열장 안에 전시된 최신형 스마트폰을 구경했다. 반짝반짝 검은 보석처럼 빛나는 매끈한 기기 위로 찬성의 얼빠진 얼굴이 비쳤다. 찬성은 그것들이 진심으로 아름답다 느꼈다.

—이것 봐, 에반. 멋지다.

찬성이 진열장에서 시선을 돌려 아이스박스 속 에반을 바라봤다. 에반은 공처럼 몸을 둥글게 말아 그 안에 자신의 머리를 묻고 죽은 듯 잠들어 있었다. 찬성은 에반을 한 번 쓰다듬은 뒤 바지 주머니에서 구형 휴대 전화를 꺼냈다. 그러곤 모서리에 살짝 금이 간 액정에 자기 얼굴을 비춰 보다 중요한 사실 하나를 깨달았다.

—그러고 보니 돈이 남네.

에반을 위해 쓸 돈을 빼고도 만 사천 원이 남는다는 사실에 찬성의 가슴이 뛰기 시작했다. 잠시 후 집에 가는 버스가 도착했지만 찬성은 버스에 오르는 대신 휴대 전화 대리점 유리문을 열어젖혔다.

처음엔 그냥 유심 칩 가격이나 물어볼 생각이었다. 그러다 어느 순간 직원 앞에 앉게 되었고, 그가 내민 서류에 또박또박 이름을 적어 넣었고, 할머니 신분증을 건네고 말았다. 찬성은 자신의 구형 휴대 전화에 유심 칩을 넣는 직원을 쳐다보다 대리점 유리문 앞에 세워 둔 손수레를 돌아보았다. 아이스박스 안에 잠들어 있을 에반은 보이지 않았지만 에반이 거기 있다는 사실은 분명했다.

—유심 칩 값 만 원에 충전기 오천 원. 원래 개통비 삼만 원도 받아야 하는데 지금은 이벤트 기간이니까 무료로 해 줄게.

찬성이 자신의 휴대 전화를 돌려받으며 지갑에서 만 오천 원을 꺼내 직원에게 건넸다. 에반 병원비에서 천 원을 허는 게 조금 찝찝했지만 동물 병원이 문을 닫는 기간 동안 용돈을 아끼면 충분히 메울 수 있을 것 같았다. 버스 정류소 앞에서 찬성은 휴대 전화 버튼을 수없이 눌러 보았다. 실금 간 액정 위로 환한 빛이 들어오자 더 이상 자신의 얼굴이 비치지 않았다. 찬성은 휴대 전화 카메라 단추를 눌러 발밑에 잠들어 있는 에반의 사진을 처음으로 찍었다. "찰칵" 소리와 함께 찬성의 등 뒤로 냉장 트럭 한 대가 쏜살같이 지나갔다.

에반은 물 한 모금 마시지 않고 조용히 잠만 잤다. 여느 때처럼 보채거나 끙끙대지 않고 자신의 다리를 핥지도 않았다. 찬성은 하루 종일 휴대 전화를 만지다 충전하는 동안에만 가끔 에반을 살폈다.

—그래, 착하다, 우리 에반.

찬성은 잠든 에반의 등을 쓰다듬은 뒤 휴대 전화를 다시 손에 쥐고 갖가지 애플리케이션을 내려받으며 시간을 보냈다.

—전화 요금 많이 나오면 다 네 용돈에서 깔 테니까 알아서 해.

할머니가 엄포를 놓아도 소용없었다. 그날 밤 찬성은 이부자리에 누워 오래전 아버지가 그런 것처럼 휴대 전화 불빛으로 개 그림자를 만들었다.

—에반, 이것 봐. 내가 네 친구들을 불러왔어.

찬성이 소리쳤지만 에반은 미동도 하지 않았다.

—에반, 이거 보라니까. 내가 아빠보다 더 잘하는 것 같아. 진짜 개

야, 진짜 개. 네 친구들이라니까.

에반은 여전히 아무 반응이 없었다.

이틀 뒤, 점심시간이 끝날 무렵 찬성은 휴게소에 들렀다. 여름휴가 기간과 주말 연휴가 겹쳐 휴게소 안은 주차 공간이 없을 만큼 사람들로 붐볐다. 할머니는 지친 얼굴로 잔치 국수가 담긴 쟁반을 들고 찬성에게 다가왔다.

—점심 다른 거 사 먹는다고 돈으로 달라 하더니.

—아, 그거. 이제 됐어, 할머니.

—되다니, 뭐가?

—어제 받은 걸로 해결됐다고.

—그러니까 뭐가 해결됐냐고?

—있어, 그런 게. 얼른 국수나 줘.

찬성이 호로록 국수를 삼키며 주방 안쪽에서 설거지하는 할머니 뒷모습을 지켜봤다. 할머니가 허리를 굽혔다 펼 때마다 허리춤 사이로 찬성이 전날 밤 붙여 준 하얀 파스가 보였다 사라졌다.

찬성은 식기 반납함에 쟁반을 갖다 놓고 주유소 옆 등나무 벤치로 가 스마트폰을 갖고 놀았다. 자신이 스마트폰 만지는 걸 많은 이들이 봐 주길 바랐지만 사람들은 찬성을 신경 쓰지 않았다. 화장실에 가고, 금연 표지판 앞에서 담배를 피우고, 음료수를 든 채 상대와 짧은 대화를 나누며 다들 자기 일에 몰두했다. 주말 인파에 섞여 찬성은 스마트폰으로 「터닝메카드」를 보고 또 봤다. 그러다 문득 자신이 지난 사흘

동안 누군가와 통화해 본 적이 없다는 사실을 깨달았다. 찬성이 아는 번호도, 찬성 번호를 아는 사람도 없었다. 교무실에 전화 걸어 반 친구들 연락처를 물어볼까 잠시 고민했지만 선생님과 통화해야 한다는 게 내키지 않았다.

'아빠가 살아 계셨으면 아빠한테 걸었을 텐데.'

오랜 궁리 끝에 찬성이 지갑에서 동물 병원 명함을 꺼내 들었다. 상중이라 주말까지 쉰다는 말이 생각났지만 찬성은 괜히 한번 병원 전화번호를 눌러 보았다.

'어쩌면 문을 열었을지도 몰라. 누가 받으면 뭐라고 하지?'

휴대 전화 너머로 익숙한 연결음이 들렸다. 찬성은 잘못한 것도 없는데 가슴이 뛰었다. 몇 차례 긴 연결음이 이어졌지만 전화를 받는 사람은 없었다. 찬성은 동물 병원 쪽에서 전화를 받지 않았다는 사실에 다시 한번 이상한 안도를 느꼈다. 찬성이 지갑 안에 명함을 넣으며 남은 돈을 세어 보았다. 십만 삼천 원. 에반을 병원에 데려가기에 부족하지 않은 액수였다. 오늘만 지나면, 그러면 꼭…… 다짐하며 일어서는데 찬성 무릎 위의 휴대 전화가 아스팔트 보도 위로 툭 떨어졌다. 찬성이 창백해진 얼굴로 황급히 휴대 전화를 주워 들었다. 그러곤 실금 간 왼쪽 모서리부터 확인했다. 찬성이 거미줄 모양 실금에 손가락을 대고 천천히 문질렀다. 아주 고운 유리 가루 입자가 손끝에 묻어났다. 찬성의 눈동자가 심하게 흔들렸다.

집으로 가는 길, 찬성은 한 손을 길게 뻗어 휴대 전화를 좌우로 틀며 햇빛에 비춰 봤다. 검은 액정 표면에 닿은 빛이 물에 뜬 기름처럼 매끈하게 일렁였다. 더불어 찬성의 가슴에도 작은 만족감이 일었다. 액정에 보호 필름을 붙이니 왠지 기계도 새것처럼 보이고, 모서리 쪽 상처도 눈에 덜 띄는 것 같았다. 스스로에게 조금 실망스러운 기분이 들었지만 '어쩔 수 없는' 상황이었다고 변명했다. 찬성은 '구경이나 해 볼 마음'으로 휴게소 전자 용품 매장에 들렀다 액세서리 용품 진열 대 앞에 한참 머물렀다. 그러곤 티끌 하나 없이 투명한 보호 필름을 만지며 자기도 모르게 "사흘……." 하고 중얼댔다. 그러니까 사흘 정 도는…… 에반이 기다려 주지 않을까 하고. 지금껏 잘 견뎌 준 것처 럼. 더도 말고 덜도 말고 딱 사흘만 참아 주면 안 될까. 당장 가진 돈과 앞으로 모을 돈을 셈하는 사이 찬성은 어느새 계산대 앞에 서 있었다. 정신을 차리고 보니 지갑 안의 돈이 어느새 구만 오천 원으로 줄어 있 었다.

에반이 구슬피 울기 시작한 건 그날 밤이었다. 한 번도 그런 적이 없는데 이상했다. 에반은 하늘을 보며 늑대처럼 긴 울음을 토해 냈다. 자다 깜짝 놀란 찬성이 자리에서 일어나 에반 얼굴을 두 손으로 감 쌌다.

— 왜 그래, 에반? 무슨 일이야?

에반이 저항하며 방바닥에 머리를 짓이겼다. 자세히 보니 눈 주위 에 눈곱이 덕지덕지 끼고 입에서도 심한 악취가 났다. 순간 찬성이 입 과 코를 손으로 틀어막으며 고개를 돌렸다.

―아유, 저놈의 개새끼!

안방에서 할머니가 고래고래 소리를 질렀다.

― 왜 자꾸 재수 없게 울어? 아유, 소름 끼쳐. 당장 갖다 버리든가 해야지.

할머니의 비위를 거스르지 않으려 찬성이 에반 대신 목소리를 낮췄다.

―에반, 미안해. 우리 사흘만 참자. 딱 사흘만. 그때는 형이 꼭……
착하지? 조금만 참아, 조금만…….

이틀이 지났다. 찬성은 이상한 기척에 잠에서 깼다. 게슴츠레 눈을 떠 보니 에반이 자신의 뺨을 핥고 있었다. 두 발을 찬성의 가슴팍에 올리고 마치 작별 인사라도 하는 양 찬성 얼굴에 자기 머리를 비볐다. 에반이 꼬리를 흔들고 배를 보일 때와 조금 다른 느낌이었다. 찬성은 이상하게 눈물이 나려 했다. 요즘 계속 잠만 자더니 갑자기 어디서 그런 힘이 난 걸까. 혹시 기적적으로 상태가 조금 나아진 걸까. 이렇게 아주 조금씩 좋아지다 보면 예전으로 다시 돌아갈 수 있지 않을까. 가슴속의 부질없는 희망이 컵에 담긴 물마냥 출렁였다. 에반은 더 이상 움직일 힘이 없는지 찬성 옆구리에 머리를 깊숙이 파묻었다. 찬성이 어둠 속에서 잠 묻은 말투로 "그래, 그래." 하고 속삭였다.

다음 날 날이 밝자마자 찬성은 서둘러 시내에 갔다. 오늘 아예 직접 병원에 들러 안락사 동의서를 쓰고 예약까지 하고 올 생각이었다. 그러면 더 이상 마음이 흔들리지 않고, 돈을 헐어 쓰는 일도 막을 수 있을 것 같았다. 동물 병원에 도착하기 전, 찬성은 대형 문구점 앞을 지나다 걸음을 멈췄다. 알록달록 여러 종류의 휴대 전화 케이스가 걸린 진열대에서 「터닝메카드」 캐릭터가 그려진 상품을 발견하고서였다. 무심코 가격을 살펴보니 삼만 사천 원이나 했다. 순간 찬성의 머릿속에 전에 없던 의심이 피어났다. 어쩌면 안락사에 대해 자신이 처음부터 잘못 생각한 게 아닐까 하는. 에반의 죽음을 거드는 것보다 에반이 살아 있는 동안 조금이라도 의미 있는 시간을 보내는 게 '우리 둘 모두에게' 좋은 일이 아닐까 싶었다.

집으로 돌아가는 찬성 얼굴에 근심이 가득했다. 어느새 찬성 손에는 육만 칠천 원밖에 남아 있지 않았다. 모든 게 합당하고 필요한 과정처럼 여겨졌는데 이상했다. 찬성은 무거운 발걸음으로 오늘따라 유난히 길게 늘어선 듯한 논둑길을 휘적휘적 혼자 걸었다. 수중에 남은 돈이 구만 얼마이거나 십일만 얼마였을 때와 달리 육만 칠천 원은 십만 원으로부터 너무 멀어 보였다. 다시 십만 원을 채우려면 전단지 이천 장을 돌려야 했다. 그런데 이천 장이라니, 엄두가 나지 않았다. 찬성은 왠지 집으로 곧장 들어갈 용기가 나지 않아 휴게소에 들렀다. 그러곤 등나무 벤치에 앉아 새로 산 스마트폰 케이스를 만지작거리며 시간을 때웠다. 찬성은 저녁때가 다 되어서야 자리에서 일어났다.

그러곤 휴게소 식품 코너에 들러 에반에게 줄 핫바를 샀다.

'하나 더 사서 나도 먹을까?'

기름 냄새를 맡으니 허기가 밀려왔지만 참았다. 찬성은 본능적으로 이런 때 작은 금욕과 희생을 감내하고 나면 기분이 나아지리란 걸 알았다. 찬성은 핫바가 든 검정 비닐봉지를 들고 터덜터덜 사십 분을 걸어 집에 왔다. 모든 불이 꺼진 탓에 집안이 평소보다 더 어두워 보였다. 찬성이 대문을 열고 마당으로 들어서며 일부러 큰 소리를 냈다.

─에반! 형이 간식 사 왔어. 이리 와 봐. 네가 좋아하는 핫바야.

찬성이 신을 벗고 마루에 올랐다.

─에반! 이것 좀 봐. 여기까지 오는 동안 나도 엄청 먹고 싶었는데 너 주려고 꾹 참았어. 참느라 얼마나 힘들었는지 모르지?

에반이 기뻐할 모습을 상상하며 찬성이 작은방 문을 활짝 열었다. 그런데 거기 에반이 없었다.

─에반!

찬성이 목소리를 높였다. 집 주위가 새삼 섬뜩할 정도로 어둡고 고요했다. 찬성은 자신이 익숙하게 살아온 세계에 위화감을 느꼈다.

─에반! 너 어디 있니?

습기 찬 저녁 들판 위로 찬성의 목소리가 희미하게 메아리쳤다.

'앞도 잘 안 보일 텐데. 다리도 아픈 녀석이 어디로 간 걸까?'

에반에게 무슨 일이 생긴 건 아닌지 불안했다. 이럴 줄 알았으면 목줄이라도 묶어 놓을걸. 에반 몸이 약해졌다고 너무 방심했나 싶었다.

'멀리는 못 갔을 거야.'

찬성이 휴대 전화 손전등 기능을 켠 채 한 발 한 발 수색 범위를 넓혔다. 에반은 작은 개라 발밑을 잘 살펴야 했다.

—에반! 장난치지 마, 응?

논바닥에 주저앉아 당장 울고 싶은 마음을 누르며 찬성이 걸음을 재촉했다. 일단 에반을 찾는 게 먼저였다.

찬성이 멀리 불 켜진 고속 도로 휴게소를 바라봤다. 자신도 왜 그곳까지 갔는지 알 수 없었다. 어쩌면 그 시간에 갈 수 있는 데가 거기밖에 없어 그랬는지 몰랐다. 아니면 덜컥 겁이 나 할머니가 보고 싶었는지도. 찬성이 숨을 고르며 최대한 이성적으로 상황을 판단하려 애썼다. 만일 에반이 혼자 힘으로 어딘가 갔다면 전에 한 번이라도 가 본 데일 거라 생각했다. 그리고 그곳은 찬성도 아는 곳일 확률이 높았다. 찬성은 에반이 지금 생각보다 가까운 곳에 있을지도 모른다고 기대했다. 그것도 아주 가까이에. 찬성은 일단 분식 코너에 들러 할머니에게 혹시 에반이 여기 오지 않았느냐고 물을 계획이었다. 그런데 주유소 앞을 지날 즈음 문득 불길한 느낌에 휩싸이고 말았다. 순간적으로 얼굴에 피가 몰리며 호흡이 가빠졌다. 그러니까 거기 주유소 쓰레기통 옆에 눈에 익은 자루 하나가 보여서였다. 안에 뭐가 들었는지 자루 아래가 불룩했고 입구는 노끈으로 단단히 묶여 있었다.

'아니야. 그럴 리 없어.'

찬성이 방망이질 치는 가슴을 안고 그 앞을 못 본 척 지나갔다. 자루 아래로 선홍색 피가 천천히 새어 나오고 있었다. 찬성은 전에 비슷한 걸 본 적 있었다. 고속 도로 갓길에 쓰러진 동료를 웬 들개 무리가 지키고 선 모습이었다. 아버지가 운전석에서 전조등을 몇 번 깜빡여도 죽은 동료를 에워싼 채 이쪽을 쏘아보던 들개들의 얼굴이 떠올랐다.

'그렇지만 우리 개는 유기견이 아니니까…….'

찬성이 식당 쪽으로 몸을 틀었다. 그런데 그때 몇몇 형들이 웅성거리는 소리가 들렸다. 한쪽 가슴에 주유소 로고가 박힌 조끼를 입은 형들이었다.

—아이 씨, 아니라니까 그러네.

—에이, 설마?

—아이, 진짜라니까. 그 개가 일부러 뛰어드는 것 같았다니까. 차가 지나가기를 기다렸다는 듯이.

찬성은 꽤 오랫동안 그 자루 앞에 서 있었다. 몇 번 '노끈을 풀어 볼까?'라는 충동이 일었지만 그러지 않았다. 자루 아래로 방금 전보다 더 많은 양의 피가 새어 나왔다. 만지면 아직 따뜻할 것 같은 피였다. 이윽고 찬성이 몸을 돌려 걸음을 옮겼다. 자루에 든 게 뭔지 끝내 확인하지 않고, 그때까지 오른손에 꽉 쥐고 있던 휴대 전화를 든 채 자리를 떴다.

주위는 더 어두워졌다. 찬성이 뻣뻣하게 군은 몸을 이끌고 고속 도로 옆 비포장길을 걸어 나갔다. 몇몇 차들이 시끄러운 경적을 울리며 찬성 옆을 획획 지나갔다. 찬성이 고개 숙여 제 손바닥을 내려다봤다. 휴대 전화 손전등 기능을 너무 오래 사용한 탓에 기기에서 열이 났다. 손바닥에 고인 땀을 보니 문득 에반을 처음 만난 날이 떠올랐다. 손바닥 위 반짝이던 얼음과 부드럽고 차가운 듯 뜨뜻미지근하며 간질거리던 무엇인가가. 그렇지만 이제 다시는 만질 수 없는 무언가가 가슴을 옥죄었다. 하지만 당장 그것의 이름을 무어라 불러야 할지 몰라 찬성은 어둠 속 갓길을 마냥 걸었다. 대형 화물 트럭 몇 대가 시끄러운 경적을 울리며 찬성 옆을 사납게 지나갔다. 머릿속에 난데없이 '용서'라는 말이 떠올랐지만 입 밖에 내지 않았다. 찬성이 선 데가 길이 아닌 살얼음판이라도 되는 양 어디선가 쩍쩍 금 가는 소리가 들려왔다.

임솔아

2013년 시 「옆구리를 긁다」로 중앙신인문학상을 받으며 작품 활동을 시작했다. 소설집 『눈과 사람과 눈사람』, 장편 소설 『최선의 삶』, 시집 『괴괴한 날씨와 착한 사람들』, 『겟 패킹』 등을 썼다. 문학동네대학소설상, 신동엽문학상, 문지문학상 등을 수상했다.

05

신체 적출물

언니는 은하의 침대에 걸터앉았다. 따뜻한 물에 적신 수건으로 은하의 얼굴을 닦아 주었다. 좋은 꿈을 꾸었느냐고 언니는 물었다. 은하는 협탁으로 손을 뻗었다. 협탁을 더듬거렸다.

"어디 있지?"

"서랍에."

은하의 입가를 꼼꼼하게 닦으며 언니가 답했다. 은하는 협탁 서랍을 열었다. 유리병을 꺼냈다. 가슴 위에 유리병을 올려 두고서 바라보았다.

"무서워."

은하의 손을 닦아 주면서 언니가 말했다.

언니가 무섭다고 하는 것들을 은하는 죄다 좋아했다. 반대로 말할 수도 있다. 은하가 좋다고 하는 것들을 언니는 죄다 무서워했다. 호러 영화를 보는 것을, 밤에 골목을 걸어 귀가하는 것을, 스노클링을 하며 끝없이 아득한 바닷속을 들여다보는 것을, 번지 점프 같은 것을. 둘이 함께 다닐 때면 그들이 자매라는 사실을 아무도 눈치채지 못했다. 조목조목 뜯어보면 닮은 구석이 있기는 했다. 두툼한 귓불과 평퍼짐한 무릎, 넓적한 발볼과 넓적한 손톱이 닮았다. 눈에 띄지 않는 것들만 닮았다. 키가 은하는 유난히 컸고 언니는 유난히 작았다. 눈이 언니는 유난히 컸고 은하는 유난히 작았다. 은하는 해골이 그려진 티셔츠나 징이 박힌 라이더 재킷을 즐겨 입었고, 언니는 시폰 블라우스나 파스텔 톤 트렌치코트를 즐겨 입었다. 그들도 그들이 자매라는 사실이 가끔은 의아했다. 그럴 때마다 언니는 맏이들이 의존적으로 자라나는 사회적 원인과 막내들이 독립적으로 자라나는 사회적 원인에 대해 이야기했다. 은하는 고개를 끄덕여 주었지만, 술자리에서 이야기하는 혈액형별 성격 유형만큼이나 언니의 이야기가 뻔하다고 생각했다.

반쿰 폭포까지 스쿠터를 타고 신나게 달려 보자고 은하가 제안했을 때에도 언니는 무섭다고 했다. 무서워하는 언니를 더 무섭게 만드는 것을 은하는 좋아했다. 함께 호러 영화를 보다가 왁, 하고 놀래 주는 것, 함께 귀가하다가 슬쩍 차 뒤에 숨어 언니를 지켜보는 것, 스노클링을 하다가 상어가 지나간다고 외치는 것, 번지 점프를 하러 가서 사고가 날 위험성에 대해서 겁을 주는 것. 무서워하던 언니는 더 무서워진 후에야 웃음을 터뜨렸다. 은하는 액셀을 당겼고 언니는 은하를 꼭 끌어안았다. 은하는 웃으며 더 액셀을 당겼고 언니는 더 꼭 은하를 끌어안았다. 노면에서 바퀴가 미끄러졌다. 스쿠터가 미끄러지듯 넘어졌다. 은하의 발이 따끔따끔해졌다. 언니는 도로변 수풀에 처박혔다.

"무섭다니?"

언니는 대답 없이 손에 남은 로션을 손등에 비볐다. 은하는 다시 유리병을 보았다.

오전에는 드레싱이 예약되어 있었다. 은하는 침대에서 휠체어로 옮겨 앉았다. 드레싱실 앞에서 언니는 간호사에게 휠체어의 손잡이를 넘겨주었다. 은하는 손을 뻗어 언니의 팔을 잡아끌었다.

"무서워."

은하와 언니는 동시에 같은 말을 했다. 은하의 손에서 언니는 팔을 빼냈다.

붕대가 한 꺼풀씩 풀리자 발등이 드러났다. 그리고 발가락이 드러났다. 멀쩡한 것은 엄지발가락뿐이었다. 둘째 발가락은 마디 부분이 잘린 채 살갗으로 덮여 실로 꿰매져 있었다. 셋째 발가락은 사라져 있었다. 발가락이 시작되어야 할 곳에 지네가 얹힌 것처럼 실이 꿰매져 있었다. 넷째 발가락과 새끼발가락은 방향이 뒤틀려 발톱이 안쪽으로 돌아가 있었다. 발끝마다 체리 꼭지 같은 핀이 튀어나와 있었다. 실밥들이 살구씨에 달라붙은 개미 떼처럼 새까맸다.

"아파요?"

간호사는 물었다.

새 붕대를 감고 드레싱실에서 나왔을 때, 언니는 드레싱실 문 앞을 서성이고 있었다. 언니의 눈이 새빨갰다. 은하의 눈과 똑같이 퉁퉁 부어 있었다.

✳

　새벽은 오토바이 소리로 시작됐다. 은지는 바깥을 내려다보았다. 팔 차선 대로에서 오토바이 몇 대가 달려가고 있었다. 이 시간부터 밤이 깊어질 때까지 이 소리에 휩싸여 지내야 한다. 믹서의 칼날처럼 빠르게 회전하며 무엇이든 뭉개 버릴 듯 오토바이가 질주했다. 수천 대의 믹서가 오늘도 도로를 가로지를 것이다. 하얗고 보송보송한 이불을 덮고 동생은 잠들어 있었다. 동생의 일정한 숨소리와 요란스러운 오토바이 소리를 동시에 듣고 있었다.

　은지는 병실을 나왔다. 원무과가 열리기를 기다렸다. 창문 블라인드가 올라갔고, 문이 열렸다. 보험 처리를 위한 서류는 준비되지 않았다. 퇴원하기 전에는 꼭 준비해 주겠다고 깐짜냐는 잘라 말했다. 준비를 서둘러 달라고 은지는 다시 부탁했다. 혹시 모를 일이 더는 발생해서는 안 되었다. 깐짜냐는 은지의 방문을 귀찮아하는 기색이 역력했다.

　동생은 어제 저녁 식사를 하지 못했다. 아무것도 삼키지 못하겠다고 했다. 잘 먹어야 뼈가 붙는다고 의사는 말했다. 아침 식사 시간에 맞춰 카트가 도착했고, 은지는 침대에서 접이 식탁을 꺼냈다. 위생모를 쓴 급식원에게 식판을 받았다. 식어 가는 음식을 지켜보다 동생을 깨웠다. 동생은 유리병을 꺼내 식탁 위에 올려 두었다. 유리병을 바라보면서 동생은 포크를 들었다. 뜨겁게 끓인 복숭아요구르트에 버무려진 마카로니를 뒤적이다 포크에 묻은 요구르트만 몇 번 빨아 먹었다. 복숭아요구르트에서 고수 맛이 난다고 했다.

동생을 드레싱실에 들여보낸 후에 은지는 다시 원무과를 찾아갔다. 와이파이 사용권을 구입했고, 보험 관련 서류가 준비되었는지 확인했고, 병원 근처에 대형 슈퍼마켓이 있는지 물어보았다. 깐짜냐는 서랍에서 지도를 꺼내 빨간 볼펜으로 동그라미를 그렸다. 동그라미 밑에다 '테스코'라고 적었다.

지도를 주머니에 넣고 은지는 드레싱실 근처를 서성였다. 열려 있는 문 안에서 수십 명의 신음이 들려왔다. 아파요? 수십 명의 간호사가 똑같이 묻는 소리도 들려왔다. 동생의 발 위로 엎어져 있던 오토바이를 들어냈을 때, 동생의 발가락 하나는 끝이 두 갈래로 갈라져 벌겋게 흐물거렸다. 다른 발가락들은 으깨어져 곤죽이 되어 있었다. 어떤 발가락은 뼈가 튀어나왔고 어떤 발가락은 가느다란 힘줄에 붙어 덜렁거리고 있었다.

동생을 병실에 데려다주고 은지는 로비를 지나 바깥으로 나왔다. 팔 차선 도로 앞에 섰다. 수백 대의 오토바이가 화살처럼 도로 위를 날아가고 있었다. 은지는 지도를 꺼내 손가락으로 동그라미를 짚었다. 멀리 테스코라고 적힌 거대한 건물이 보였다. 보행자 신호가 켜졌다. 유치원생처럼 은지는 손을 높이 들고 절뚝이며 걷기 시작했다.

화상 환자와 절단 환자들 사이에서 은지는 자신의 무릎을 봐 달라고 말할 수가 없었다. 무릎을 다쳤다고 말할 겨를도 없었다. 적신호가 켜졌다. 중앙선에 서서 다음 신호를 기다렸다. 클랙슨을 울리며 오토바이들이 달려들었다. 믹서의 칼날들이 돌진해 왔다. 은지의 앞뒤로 오토바이들이 쌩하니 지나쳐 갔다. 은지의 옷자락이 펄럭였다. 오토바이들은 곡예를 하며 서로를 앞질러 갔다. 모두 동생처럼 슬리퍼를 신은 채 질주하고 있었다.

'끔찍해.'

그들 모두의 오토바이가 넘어지고 그들 모두의 발이 동생의 발처럼 헤집어지는 장면이 눈앞에 펼쳐졌다. 은지는 눈을 끔뻑거렸다.

푸드 코트에는 레스토랑이 일렬로 늘어서 있었다. 이탈리안 레스토랑에 들어서자 똠양꿍 냄새가 났다. 차이니즈 레스토랑에 들어가도 똠양꿍 냄새가 났다. 모든 레스토랑에서 파는 모든 음식에서 똠양꿍 냄새가 퍼져 나왔다. 똠양꿍 냄새가 나지 않는 일식당을 찾아냈지만 채식주의자를 위한 우동 가게였다. 동생에게는 고기가 필요했다. 단백질을 먹여 회복을 도와야 했다. 우동집 주인은 다른 건물에 초밥집이 있다고 했다. 초밥이라면 괜찮을 것 같았다.

초밥집 주방장은 냉장고를 열었다. 행주에 싸인 커다란 덩어리를 꺼냈다. 행주를 한 꺼풀씩 벗겨 내자 살덩이가 드러났다. 도마 위에 올려놓았다. 날카로운 칼날이 부드러운 살점 사이로 매끄럽게 미끄러졌다. 도마 위에 살점을 차례로 발라 두고서, 특별히 두껍게 썰어주었다며 주방장은 싱글벙글 웃었다.

쇼핑백을 들고서 병실에 도착했을 때, 동생은 고개를 쭉 빼고서 유리병을 보고 있었다. 밥을 먹을 때만큼은 유리병을 넣어 두라고 말했지만 동생은 대답하지 않았다. 쇼핑백에서 초밥을 꺼냈다. 동생은 초밥 한 점을 입에 넣고 우물거렸다. 삼키지 않고 계속 우물거렸다. 두 점을 삼키더니 더는 넘어가지 않는다고 했다. 은지는 초밥에서 회를 떼어 냈다. 밥이라도 먹어 보라고 밥 덩어리를 내밀었다. 동생은 밥 몇 덩어리를 애써 삼키며 밥에서도 회 냄새가 난다고 했다.

은지는 보험 회사에 전화를 걸었다. 오토바이 탑승으로 인한 사고는 보장이 안 될 수도 있다고 했다. 항공사에 전화를 걸었다. 웨이팅을 걸어 놓았던 자리가 확약된 것을 확인하고 휠체어 서비스를 신청했다. 한국의 수지 접합 전문 병원에 전화를 걸었다. 예약 날짜를 앞당겨 달라고 사정을 했다. 신용 카드 회사에 전화를 걸었다. 한도를 올릴 수 있는지 문의했다. 국제 전화 요금이 백만 원을 넘어섰다는 문자가 왔다.

누군가 발톱을 일으켜 세워 뒤집어 버리는 듯했다. 언니는 소파에서 잠들어 있었다. 물병과 진통제를 집었다. 타이레놀 네 알을 꿀꺽꿀꺽 삼켰다. 은하는 세 시간마다 타이레놀을 먹어야 했다. 하루에 타이레놀 서른두 알을 삼켰다. 태국에 무통 주사는 없다고 간호사는 잘라 말했다. 알약을 삼키면서 물을 두 컵씩 마시고 나면 그것만으로

도 이미 배가 부른 듯했다. 속은 종일 메슥거렸다. 열이 올랐다가 내렸다. 앉으려 하면 온몸의 피가 발을 향해 곤두박질쳤다. 은하는 곧게 누운 채로 두 무릎을 접었다. 무릎 사이에 얼굴을 디밀고 자신의 발을 내려다봤다. 붕대에 감겨 있지만 발가락 사이로 약솜의 축축한 감촉이 느껴졌다. 사라진 발톱 밑으로 수십 개의 바늘이 깊숙이 들어오다가 순식간에 발톱을 들어 올리는 것 같았다. 은하는 숨을 멈췄다. 통증은 선명한데 발가락은 없었다. 은하는 손을 뻗어 유리병을 찾았다. 언니는 또 유리병을 서랍에 넣어 두었다. 휴지나 수건으로 감싼 다음에야 언니는 유리병을 만졌다. 벌레를 잡을 때 벌레가 손에 닿을까 봐 두려워하듯이, 손끝으로만 유리병을 집어 든 다음 서랍에 넣었다.

은하는 유리병을 두 손으로 감싸 쥐었다. 유리병을 뚫어지게 바라봤다. 유리병 속에 들어 있는 것은 애매했다. 손가락처럼 중요한 것도, 머리카락처럼 중요하지 않은 것도 아니었다. 통증은 활짝 열리는 문처럼 찾아왔다가 벌컥 닫히는 문처럼 사라졌다. 그때의 기억도 마찬가지였다. 환지통이 찾아올 때마다 그게 제자리에 있지 않다는 걸 믿기 위해 유리병을 바라봐야 했다.

깨어났을 때, 은하는 어둑한 회복실에 누워 문이 열리길 기다렸다. 문이 열리고 하얀빛이 쏟아지더니 간호사가 다가왔다. 손안에 쥐고 있던 것을 은하의 손에 건네주었다. 유리병 안에 은하의 발가락 하나가 둥둥 떠 있었다. 언니가 들어왔다. 기다란 지푸라기들이 언니의 머리카락에 붙어 있었다.

"잘랐대."

손안에 쥐고 있던 유리병을 은하는 언니에게 내밀었다. 진흙과 풀물, 핏방울로 얼룩진 언니의 하얀 티셔츠에는 '아이 러브 타일랜드'라고 적혀 있었다.

"이걸 왜 돌려주는 건가요."

태국인 간호사에게 언니는 물어보았다. 침대를 밀다 말고 태국인 간호사는 합장을 했다.

"신이 당신에게 준 몸이니까요. 여기서는 신체 적출물을 환자에게 돌려 드립니다."

재활 치료사들이 목발을 골라 주었다. 은하는 목발을 겨드랑이에 끼고서 한 발 한 발 걸어 보았다. 겨드랑이에 힘을 주면 금세 겨드랑이가 아팠고 팔목에 힘을 주면 금세 팔목이 아팠다. 뼈가 붙는 것만큼이나 근육이 굳지 않는 것이 중요하다고 재활 치료사는 설명했다. 근육이 굳어 버린다면 다리를 절 수도 있다는 경고를 덧붙였다.

은지는 약국에서 붕대를 구입했다. 목발 손잡이에 붕대를 친친 감아 주었다. 그래도 동생은 손바닥이 아프다고 말했다. 은지는 배낭에서 생리대를 꺼냈다. 생리대 한 개씩을 목발 손잡이와 겨드랑이 거치

대에 감은 후에 그 위를 붕대로 다시 덮었다. 동생은 박수를 쳤다. 공항 검색대에서 목발에 숨긴 것이 뭐냐고 물으면 어떻게 하느냐며 웃었다. 은지와 동생은 오랜만에 함께 키득거렸다.

병원 청소원이 병실을 청소하는 동안 은지는 동생과 복도 의자에 앉아 있었다. 동생은 목발을 겨드랑이에 끼고서 걷는 연습을 했다. 환지통이 찾아오는 횟수가 줄어들고 있다고 동생은 말했다. 청소원이 비누 조각을 들고 와서 버려도 되는지를 물었다. 동생과 은지는 동시에 고개를 저었다. 줄이 끊어진 머리끈을 들고 와서 버려도 되는지를 물었다. 동생과 은지는 동시에 고개를 끄덕였다. 동시에 고개를 젓고 동시에 고개를 끄덕였다. 청소원은 유리병을 들고 왔다. 은지는 고개를 끄덕였다. 동생은 고개를 저었다.

바깥은 내내 삼십 도를 웃돌았다. 유리병 속 발가락은 커져 갔다. 돋보기로 보는 것처럼 점점 자세하게 보였다. 적출물 표피에서 자그마한 살점들이 떨어져 나와 유리병 속을 부유했다.

언니 말마따나, 집에 가져가 기념품 조각상처럼 전시해 둘 수는 없는 노릇이었다. 그래도 줄이 끊어진 머리끈을 버리듯 발가락을 쓰레기통에 버릴 수는 없었다. 은하는 언니의 눈앞에 유리병을 내밀었다. 언니는 고개를 돌렸다. 은하는 언니를 노려보았다. 언니도 은하를 노려보았다. 눈시울이 붉게 변해 갔다. 텔레비전에서는 드론으로 줌 인된 해안이 화면 가득 펼쳐졌다. 백사장에 노란 파라솔이 줄지어 있었고 바다에는 오색 카누들이 떠다녔다. 야자수의 정수리를 따라가던 렌즈는 밀림 속으로 깊숙이 들어갔다. 사마귀 한 마리가 달팽이를 잡아먹던 베짱이를 낚아챘다. 사마귀는 베짱이를 두 다리로 잡고서 꼬리부터 천천히 뜯어 먹었다. 꼬리가 사라지고 몸통의 절반이 뜯기는 와중에도 베짱이는 달팽이를 먹는 데 열중했다. 고등한 생명체일수록 육체의 감각은 섬세해지고 사고 능력과 감수성에 기반한 정신적인 운동이 중요해진다고, 내레이션은 설명했다. 베짱이의 무신경은 하등한 생명체의 특징이라는 설명도 덧붙였다. 은하는 언니가 베짱이를 닮았다고 생각했다. 눈앞에 있는 사실에만 집중하는 면이 그랬다. 다큐멘터리가 끝나고 관광지 프로모션 광고가 지나가고 드라마가 끝날 때까지, 언니와 은하는 대치 상태에 놓인 복서처럼 간격을 유지했다.

　

진료를 받기 위해 병실을 나설 때마다 동생은 목발과 함께 유리병을 챙겼다. 동생은 언제 어디서든 휠체어에서 일어나 걷는 연습을 하고 싶어 했고, 언제 어디서든 발가락을 보고 싶어 했다. 지글거리던 아스팔트가 식어 갔다. 은지는 벤치에서 일어났다. 들판과 도로의 경계를 따라 걸었다. 들개 무리가 들판을 어슬렁거렸다. 척추가 드러난 개들은 혀를 길게 빼물고 있다가 은지를 보고는 컹컹 짖었다. 한 발은 도로에, 한 발은 들판에 둔 채 은지는 고개를 숙이고 걸었다. 오토바이 소리가 들릴 때마다 뒤를 돌아보았다.

'무서워.'

무섭지만 해야만 하는 일이 있고, 무섭기 때문에 해서는 안 되는 일이 있다. 동생은 그걸 구분할 줄 몰랐다. 은지는 동생이 베짱이를 닮았다고 생각했다. 눈앞의 욕망에만 눈이 멀어 뒷일을 예측하지 못하는 면이 그랬다. 그런 동생이 은지는 무서웠다. 타인의 무서움을 헤아리지 않는다는 점이 더 무서웠다. 은지는 고개를 저으며 주먹을 꼭 쥐었다. 그날을 생각하면 유리병이 떠올랐고, 유리병을 보면 그날이 눈앞에 펼쳐졌다. 은지는 신발 가게에 들어갔다. 파스텔 톤의 캔버스화와 빈티지 워싱 캔버스화를 번갈아 보았다. 새하얀 캔버스화를 골랐다.

유리병을 들자 동그란 테두리를 따라 물기가 맺혀 있었다. 보존액이 새고 있었다. 은하는 유리병을 한 손으로 받쳐 들고 욕실에 들어갔다. 유리병 뚜껑을 열었다. 발가락 껍질이 너덜너덜했다. 피부는 핏기 없이 창백하고 거무튀튀했다. 절단된 부위는 순대 속 당면처럼 혈관이 너절너절 튀어나와 있었다. 은하는 양치 컵에다 발가락을 옮겨 담았다. 수돗물을 보냈다. 회전하는 물속에서 발가락이 움직였다. 그렇게라도 움직이는 발가락이 반갑게 느껴졌다.

은지는 욕조에 물을 받았다. 샤워 젤을 물에 풀어 거품을 냈다. 욕실에 의자를 가져와 동생을 앉혔다. 동생을 욕조 속으로 끌어내려 서서히 눕혔다. 은지는 동생의 머리를 감겨 주고, 몸 구석구석을 씻겨 주었다. 동생의 몸에서 시커먼 땟물이 줄줄 흘러내렸다. 칫솔에 치약을 짜서 동생의 손에 쥐여 주었다. 세면대 물을 튼 다음 양치 컵을 들다가 은지는 비명을 질렀다. 자기도 모르게 컵을 내던졌다. 컵은 바닥으로 떨어졌다. 발가락이 바닥을 데굴데굴 굴렀다. 동생은 팔을 뻗어 발가락을 집기 위해 안간힘을 썼다.

은지는 동생의 몸에 묻은 물기를 닦아 주고 드라이어로 머리카락을 말려 주었다. 동생은 입을 굳게 다물고 있었다. 운동화를 꺼내 동생의 다치지 않은 발에 신겨 주었다. 냉장고에서 요구르트 두 병을 꺼내 한 개는 동생 앞에 놓아 주고 나머지 한 개는 자신이 먹었다. 동생은 세면대에 요구르트를 쏟았다. 요구르트병을 물로 헹궜다. 요구르트가 담겨 있던 유리병에 발가락을 옮겨 담았다. 주둥이에는 비닐봉지를 팽팽하게 씌우고 벗겨지지 않도록 고무줄로 묶어 놓았다. 요구르트병에는 'SWEET PU! PU!'라고 적혀 있었다. 글씨 아래에는 레서판다가 요구르트를 먹는 그림이 양각으로 새겨져 있었다. 윙크를 하는 레서판다 뒤로 발가락이 떠 있었다.

은지는 핸드폰을 켜고 계산기를 열었다. 현재까지의 병원비와 항공료, 앞으로의 재활 치료비를 계산하고 또 계산했다. 한국에 돌아가면 자동차를 처분하기로 결정을 내린 상태였다. 대중교통을 이용해서 회사에 가려면 버스를 탄 후에 지하철을 두 번 갈아타야 했다. 한 시간 정도 일찍 일어나고 한 시간 정도 늦게 잠들면 될 것이다. 어차피 운전할 수 없을 것이다. 액셀을 밟을 때마다 몸이 수풀에 우지끈 처박히던 장면이 펼쳐질 테니까. 은지는 동생을 지키고 싶어 했고, 동생은 유리병을 지키고 싶어 했다.

언니는 버릴 것의 목록을 작성했다. 배낭 속 물건을 연습장에 모두 적고 하나씩 체크했다. 버릴 것은 소파 앞에 쌓아 두고 챙길 것은 배낭 앞에 정렬했다. 배낭도 짊어지고 휠체어도 밀려면 짐을 하나의 배낭으로 줄여야 했다. 배낭 앞에 정렬되어 가는 물건을 보다가 은하는 그 대열에다 유리병을 놓을지 고민했다.

여권은 배낭 바로 앞에 놓여 있었다. 그 앞에는 속옷 한 벌씩과 양말 한 세트가 지퍼 백 안에 가지런했다. 충전기들은 고무줄로 단단하게 묶여 있었다. 태국 여행 회화 포켓북은 '응급' 부분만 잘라 클립을 끼워 놓았다.

"어떻게 할 거니."

유리병을 가리키며 언니가 물었다. 은하는 유리병을 꽉 움켜쥐었다.

"내 신체야."

"아니. 그건 신체 적출물이야."

"언니는 이게 회 한 점처럼 그냥 살덩이로 보여?"

"네 눈에는 살덩이가 아닌 걸로 보여?"

언니는 쪼그려 앉아 다시 짐을 정리했다. 쓸모라는 말 따위로는 설명될 수 없는 것이 존재한다는 걸 지금 언니는 이해하려 하지 않았다.

"기념품이라고 생각해 주라."

타이레놀 뭉치를 배낭에 넣다 말고 언니가 은하를 쳐다봤다.

"전리품으로 가져가려는 거잖아."

여러 개의 창이 성게의 가시처럼 꽂힌 소를 은하는 생각했다. 투우사는 긴 칼을 뽑아 소의 미간을 단숨에 찔렀다. 소가 쓰러지자 귀와 꼬리를 잘랐다. 전리품으로 가져가기 위해서였다. 낫으로 썰어 낸 적군의 머리를 전리품으로 들고서 자랑스러워했던 흑백 사진 속 사람들에 대해 은하는 생각했다. 끔찍하게 잘린 머리와 더 끔찍했던 해맑은 미소에 대해 생각했다. 은하는 고개를 저었다.

"가져갈 거야."

"가져가서 어떻게 하려고."

가져가서 어떻게 해야 할지 은하는 몰랐다. 발가락이 사라진 자기 자신도 이제 어떻게 해야 할지 알 수 없었다.

"가져갈래."

병원비를 결제하면 서류를 건네주겠다고 깐짜냐는 말했다. 은지는 신용 카드를 내밀었다. 한도 초과 메시지가 떴다. 다른 카드를 내밀었다. 다시 한도 초과 메시지가 떴다. 은지는 카드 회사에 전화를 걸었다. 한도를 최대로 늘렸다. 걱정스러운 눈빛으로 서 있던 깐짜냐가 그제야 웃음을 보였다. 동생의 입원 기록과 보험 관련 서류를 클리어 파일에 담아 주었다. 은지도 웃었다. 깐짜냐가 은지에게 합장을 했다. 은지도 합장을 했다.

"컵쿤카."

이 병원에서 지내는 동안 은지가 가장 많이 한 말이었다. 은지는 병실로 돌아갔다. 배낭을 멨다. 동생의 휠체어를 밀어 주었다. 병실에서 막 빠져나왔을 때, 동생이 뒤를 돌아보았다. 은지는 침대에 기대어져 있던 목발을 동생에게 건네주었다. 동생은 두 손으로 목발을 끌어안았다. 깐짜냐와 간호사들이 로비에서 기다리고 있었다.

택시가 고가 도로로 올라가자 인가가 사라지고 뻥 뚫린 도로가 펼쳐졌다. 도시 외곽에 이르자 리조트 광고 안내판만이 드문드문 지나갔다. 동생은 자기 주머니를 더듬거렸다.

"발가락을 두고 왔어."

동생은 돌아가야 한다고 했다. 은지는 시계를 보았다. 비행기를 놓칠 것이 뻔했다. 비행기를 놓치게 되면 한국의 수지 접합 전문의와 족부 클리닉 교수에게 예약해 둔 진료도 물거품이 될 것이다. 진료 예약도 다시 해야 할 것이고 항공권도 다시 구입해야 할 것이다. 자리가 없다면 출국이 몇 주 뒤로 미뤄질지도 몰랐다.

*

"항공권이 백십사만 원. 병실비랑 식대랑 치료비를 합치면 하루에 사십칠만 원. 네가 발가락을 찾으러 가는 데 드는 기본 비용이야."

택시 미터기의 숫자가 빠르게 올라가는 것을 은하는 바라보고 있었다.

"백육십일만 원이 아니야. 날린 항공권이 백십사만 원. 새로 구입해야 하는 항공권이 백십사만 원. 비행기가 바로 없다면 삼 일은 묵어야 할 거고. 항공권 예약하고 병원 예약하는 국제 전화 요금이 적어도 이십만 원. 우동값이랑 간식비 하루 일만 원."

언니가 읊는 숫자들은 언니의 애원을 대신했다.

"와이파이 비용 하루 오천 원. 왕복 택시비 사만 원. 합계 삼백구십칠만 오천 원. 하루에 사십팔만 오천 원씩 추가될 거야. 너 사백만 원 있어? 너는 그 발가락이 사백만 원짜리라고 생각하니?"

언니가 되뇌던 무섭다는 말이 떠올랐다. 무서움도 욕망의 일종이었다. 손해 비용을 치르지 않으려는 욕망. 은하는 언니가 무서워하던 유리병 속 발가락을 생각했다. 그 유리병의 가격에 대해 처음으로 생각했다. 사용할 수 없는 신체에는 얼마의 가격을 책정해야 할까. 한 마디가 절단된 둘째 발가락의 가격과 멀쩡하게 붙어 있는 발가락의 가격을 예측해 보았다. 유리병 안에 언니의 발가락이 있었더라면 언니는 되찾으러 갔을까. 아마 버리고 갔을 것이다. 유리병 안에 은하의 심장이 있었더라면 언니는 되찾으러 갔을까. 아마 그랬을 것이다. 유리병 안에 언니의 심장이 있었더라면 은하는 되찾으러 갔을까. 사백만 원은 은하가 하루 여덟 시간 삼 개월 동안 아르바이트를 해야 얻을 수 있는 거금이었다. 은하가 한 번도 손에 쥐어 본 적 없는 액수였다. 그래도 은하는 언니의 심장을 포기하지는 않았을 것이다. 유리병 안에 언니의 발가락이 있었더라면 은하는 어떻게 했을까. 금세 답이 나오지 않았다. 심장과 발가락은 어떻게 다른 걸까. 한국에 돌아가면 언니는 예쁘게 붙어 있는 발가락과 발톱을 손질하기 위해 종종 네일 아트 숍을 방문할 것이다. 한 달에 한 번씩, 사만 원을 지불하고 발을 내밀 것이다. 은하가 발가락을 되찾는 비용은 앞으로 팔 년이 넘는 시간 동안 언니가 발톱을 손질하는 비용이었다. 각자의 애원은 각자의 것을 지키려는 욕망이었다. 애원도 욕망의 일종이었다. 애원은 각자의 내부에서만 공명할 것이다. 은하는 애원이 무서워졌다. 아니다. 유리병 속에 갇힌 애원이 무서워졌다. 애원의 고립이 가장 무서워졌다.

은지는 결국 택시를 돌렸다. 병실 청소는 이미 끝나 있었다. 은지는 청소원실을 찾아갔다. 수많은 병실에서 나온 쓰레기가 커다란 봉지에 모여 있었다. 은지는 쓰레기를 뒤적였다. 피와 고름이 묻어 있는 붕대와 화장실에서 사용한 휴지와 음식물 찌꺼기가 붙어 있는 일회용 접시 사이에서 은지는 유리병을 찾아냈다. 은지와 동생은 병원 근처에서 사 일을 더 머물렀다. 은지는 유리병을 서랍에 넣어 두지 않았다. 동생은 음식을 잘 먹었다.

인천 공항에 도착하자 은지는 배낭에서 후드 점퍼를 꺼내 동생에게 입혀 주었다. 배낭을 투시기 벨트 위에 올려놓았다.

"가방 좀 열어 주시죠."

보안 검색 요원이 유리병을 꺼내라고 명령했다. 붕대에 감겨 있는 발과 수건에 감겨 있는 유리병을 동생은 번갈아 가며 가리켰다.

"제 발가락이에요."

"방부 처리 증명서를 제시해 주세요."

방부 처리는 되어 있지 않다고 동생은 답했다. 방부 처리가 되어 있지 않은 신체 적출물을 소지한 채 입국하는 것은 검역법 위반이라고 보안 검색 요원은 말했다. 어떻게 해야 유리병을 돌려받을 수 있느냐고 동생은 물었다.

"감염성 폐기물로 등록되고, 전문 업체에서 소각 처리합니다."

보안 검색 요원이 포기 각서를 내밀었다.

이상욱

2013년 단편 소설 「어느 시인의 죽음」으로 『문학의오늘』 신인상을 받으며 작품 활동을 시작했다. 소설집 『기린의 심장』을 썼다. 2015년 단편 소설 「경계」가 한국문화예술위원회 차세대문학에 선정되었다.

어느 시인의 죽음

06

우주선의 기본 형태는 타원이었다. 타원 끄트머리엔 동그란 포신砲身이 붙어 있었고, 그 밑으로 독dock이 긴 직사각형 모양으로 뚫려 있었다. 이 우주선이 처음 나타났을 때 한 초등학생이 정밀한 스케치를 남겼는데 바로 아래 그림이다.

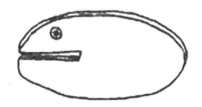

"우리 손녀가 만든 팬케이크처럼 생겼네요."

스케치를 슬쩍 쳐다본 어느 노부인이 말했다. 주변 사람들이 일제히 웃음을 터뜨렸다.

그 순간 포신에서 붉은 빔이 발사되었다. 빔에 닿은 것은 그것이 무엇이든 오리지널과 전혀 다른 무엇이 되었다.

144번 버스는 승객들과 함께 998마리의 잠자리가 되었고, 에펠탑은 728톤의 분뇨가 되어 파리를 악취에 잠기게 했다. 그뿐인가. 1000마리의 기러기가 되어 버린 자유의 여신상, 34마리의 돼지로 변해 버린 F-5 전투기, 옆집 여자의 팬티를 벗기다 34마리의 개구리로 변한 제임스, 한 송이 설익은 바나나로 다시 태어난 한국의 민주주의까지, 역사 자체가 전쟁이라고까지 평가받던 인류 문명은 팬케이크를 닮은 정체불명의 우주선으로 인해 한순간 병신으로 전락했다. 팬케이크를 향해 날아가던 핵미사일이 전장 3킬로미터에 달하는 장어가 되어 지상으로 추락하는 순간, 미美 대통령은 참담한 표정으로 입술을 깨물었다. 비린내가 동부를 덮쳤다.

그 가공할 공격은 사흘 뒤 아무런 징후도 없이 멈췄다. 사람들은 곧장 거울 앞으로 달려갔다.

─우리는 우주를 떠돌며 귀하게 살아가는 '가브'다.

지구인들은 인종과 국적에 상관없이 하늘에서 들려오는 가브의 언어를 이해할 수 있었다. 그것은 인류가 처음 경험하는 공포였다. 이성과 지성을 포함해 아직 밝혀지지 않은 다수의 인식들이 붕괴 직전까지 몰렸다.

─쫄지 마라. 더 이상의 공격은 없다. 너희도 부질없는 저항을 멈춰라.

친절한 목소리였다.

"당신들이 원하는 게 뭡니까?"

질문한 건 하야시라는 일본인이었다. 그는 질문의 대가로 민들레가 되었다.

— 빠뜨리지 않고 꼼꼼히 먹어 봤다. 미토콘드리아, 짚신벌레, 고래, 코끼리, 새우, 청국장, 보드카, 햄버거, 라자냐, +드라이버, BMW 시리즈, 월석月石, 아스팔트와 AK 소총까지. 질량을 가진 것 중 우리가 먹어 보지 않은 건 맹세컨대 단 하나도 없다.

갑자기 목소리가 기침을 했다. 전 인류가 비명을 지르며 납작 엎드렸다. 하지만 아무 일도 벌어지지 않았다.

— 미안하다, 감기에 걸려서. 어쨌든 우리가 지금까지 먹어 본 것 중 너희가 제일 맛있었다. 너희의 부드러운 고기는 최고급 스테이크이며, 내장으로 만든 찌개는 해장에 무척 좋다. 정말이지 — 이 대목에서 가브는 침을 삼켰다 — 한 번이라도 너희를 먹어 본 '가브'는 내 말을 이해할 수 있을 거다. 우리는 한 번의 축제를 위해 너희를 멸종시키는 게 옳은 일인지 고민했다. 이렇게 훌륭한 식재료는 생일이나 결혼기념일처럼 특별한 날에만 먹자는 의견이 있었고 우리는 동의했다. 최고의 식재료들이여. 스스로 자부심을 가져도 좋다. 모든 '가브'의 마음을 담아 경의를 표한다.

전 세계가 대략 10초 동안 침묵에 잠겼다.

궁지에 몰린 인간이 으레 그러듯, 지도자들도 잘만 하면 이 난국을 말로 때울 수 있을 거라 믿었다. '가브'는 지구인의 회담 요청에 흔쾌히 응해 주었다. 두 대표단이 UN 본부에서 만났다.

— 쉽게 말하면, 길러 먹으란 소린가?

'가브'족族 대표의 직설에 각국 대표들은 불편한 표정을 감추지 못했다. 하지만 대표들의 대표였던 미국인 M. 프리드먼은 대표들의 대표다운 표정과 대표다운 목소리로 지구를 대표하는 언어인 영어를 유창하게 구사하며 대표들의 입장을 전했다.

"그렇습니다. 우리는 그걸 양식이라 부릅니다. 저희도 다른 종족을 같은 방식으로 식량화했습니다. 식욕을 죄라고 할 자격이 우리에겐 없습니다. 하지만 우리는 각자의 문명을 이룩한 존재로서 교류할 수 있다고 믿습니다."

— 그렇다. 내가 여기 온 것 자체가 인류를 존중한다는 증거다.

"저희 역시 '가브'족이 이룩한 높은 수준의 문명을 존경합니다. 서로의 우호를 위해 이것이 최선이라고 생각합니다. 남은 건 당신들의 선택뿐입니다."

'가브' 대표는 특유의 긴 손가락으로 콧구멍을 후비며 생각에 잠겼다. 각국 대표들은 서로의 손을 잡은 채, 간절한 눈으로, 콧구멍에서 나온 정체불명의 이물질을 뚫어지게 쳐다봤다.

— 싫다.

이물질을 손가락으로 튕기며 '가브' 대표가 말을 이었다.

— 최근 사룟값이 너무 올랐다.

대표들은 자신의 귀를 의심했다.

— 더 이상 할 말이 없다면 회담을 마치도록 하자. 오늘은 우리 엄

마 생일이라 시간이 없다. 다섯 마리만 가져가겠다.

'가브' 대표는 주머니에서 작은 막대기를 꺼내 팔레스타인 대표를 지목했다. 푸른빛이 스포트라이트처럼 팔레스타인 대표 위로 쏟아졌다. 그는 공중으로 떠올라 순식간에 사라졌다. 누군가의 날카로운 비명을 시작으로, 겁에 질린 사람들이 소리를 지르며 회담장을 빠져나가려고 아우성쳤다. '가브' 대표가 뾰족한 이빨을 드러내며 흐뭇하게 웃었다. 두 번째로 지목당한 건, 건물 입구에서 화환을 걸어 준 열한 살 소년이었다. 소년은 울부짖으며 엄마를 불렀다. 그 광경을 지켜보던 흑인 경호원이 성호를 긋고 주기도문을 외웠다.

그 아수라장 속에서 단 한 사람만이 이성을 잃고 달려드는 사람들을 힘차게 거슬렀다. 바로 대표들의 대표인 M. 프리드먼이었다. 그는 아이의 발이 지상에서 1미터가량 떠올랐을 때 '가브' 대표 속에서 공간 이동 장치를 낚아챘다. 모두가 기절할 만큼 놀랐지만, 그래도 '가브' 대표 만큼은 아니었다.

— 이 씹새끼가…….

'가브' 대표는 얼굴을 흉악하게 일그러뜨리며 뾰족한 이빨을 드러냈다. 땀에 흠뻑 젖은 M. 프리드먼은 남아 있는 모든 용기를 짜내 입을 열었다.

"우리가 더 맛있는 인간을 공급할 수 있습니다."

1980년이었다.

그해, 미합중국 40대 대통령으로 레이건이 당선되었다.

학교는 도심 한복판에 자리하고 있었다. 모던한 디자인과 화려한 색상으로 꾸며졌고, 좁은 운동장엔 푸른 인조 잔디가 말끔하게 깔려 있었다. 학교는 그 뒤로 우뚝 솟은 고층 빌딩과 묘한 조화를 이뤘다.

대수는 가방에서 구겨진 종이를 꺼냈다. 불우한 가정 환경, 성적 비관, 따돌림, 두 번의 자살 시도. 서류는 너무 흔해서 지루하기까지 한 이야기를 전했다. 학군 좋기로 유명한 이 지역에서도 명문으로 통하는 학교였다. 대수는 서류와 학교를 번갈아 쳐다봤다.

교정에 들어서자 울타리를 따라 심어진 포플러가 눈에 들어왔다. 서늘한 바람에 푸른 잎사귀가 서걱거렸다. 몇몇 학생들이 바지런한 걸음으로 대수를 지나쳤다. 하나같이 뭔가에 쫓기는 듯 불안해 보였다. 대수는 종종걸음으로 그를 지나치는 한 여학생의 뒷모습을 삐딱한 눈으로 지켜봤다.

"이대수라고 합니다."

교장은 머리를 뒤로 쭉 빼고 명함을 바라봤다. 치켜뜬 눈으로 대수를 쳐다보고, 다시 명함을 확인했다.

"한국 미래유지사업부 시민안전관리처 산하 청소년관리청이라…… 많이 복잡해졌네요."

교장은 돋보기를 벗으며 미소를 지었다.

"우리 학교엔 무슨 일입니까?"

"이용천이라는 학생을 만나러 왔습니다."

교장은 손가락으로 책상을 두드리며, 용천…… 용천이라, 하고 중얼거리다가 수화기를 들어 주임 선생을 호출했다. 잠시 후 깡마른 40대 남자가 황급히 들어왔다.

"찾으셨습니까?"

"이용천이란 학생이 누구죠?"

주임도 용천을 기억하지 못하기는 마찬가지였다. 그는 잠시 기다려 달라고 말한 뒤 서류 뭉치를 들고 돌아왔다.

"3학년 2반 학생입니다."

"등수는요?"

"반에서 35등, 전교 379등입니다."

"뭐 특기생이나 그런 건 아니고?"

"그렇습니다."

"그럼 됐네. 여기 이대수 씨, 안내하세요."

교장은 의자를 돌리며 신문을 펼쳤다. 주임은 깍듯이 인사한 뒤 대수에게 따라오라고 말했다.

복도는 학생들로 북적거렸다. 모두 짜증스러운 얼굴로 스마트폰을 만지작거릴 뿐, 아무도 교실에 들어가지 않았다.

"학생들이 왜 교실에 들어가지 않죠?"

"학교 방침입니다."

"교실에 들어가지 않는 게 방침인가요?"

"상관없는 일엔 신경 *끄셨으면* 합니다." 주임은 날카로운 눈으로 대수를 노려봤다. 대수는 헛기침을 했다.

안내받은 곳은 상담실 팻말이 걸린 작은 방이었다. 문을 열자 퀴퀴한 냄새가 코를 찔렀다. 가구는 테이블 하나와 의자 두 개가 전부였고, 창문은 철창으로 막혀 있었다. 벽에는 푸시킨의 「삶이 그대를 속일지라도」가 인쇄되어 액자에 걸려 있었다. 대수는 환기를 하려고 창문을 열려 했지만 잘되지 않았다. 그사이, 주임이 인사도 없이 사라졌다.

얼마 후 문이 열리며 작고 까무잡잡한 아이가 들어왔다. 덥수룩한 머리와 움츠린 어깨가 아이를 더 작아 보이게 했다. 대수는 웃으며 앉으라고 말했다. 아이는 눈치를 살피며 조심스럽게 자리에 앉았다.

"반갑다. 네가 용천이구나."

용천은 고개만 까딱할 뿐 입을 열지 않았다. 용천은 대수가 내민 명함을 꼼꼼히 읽었다. 고개를 갸웃거리던 아이가 명함을 책상 위에 올려놓았다.

"아저씬 누구세요?"

"명함에 적힌 곳에서 일하는 사람이야."

"여기가 뭐하는 곳인데요?"

"용천이 같은 학생을 도와주는 곳이지. 자세한 설명은 천천히 하고……."

대수는 서류를 넘기며 할 말을 찾았다. 등에서 식은땀이 흘렀다. 도대체 무슨 말을 해야 할지 감이 오지 않았다. 서류에서 그 글자를 찾지 못했다면 아마 한참을 더 헤맸을 것이다.

"시…… 취미로 쓰는구나."

"아니요."

"아니라고? 여기 적혀 있는데."

"시를 쓰는 건 맞지만 취미는 아니에요."

"그게 무슨 뜻이지?"

"보통은 취미에 인생을 걸지 않으니까요."

용천의 표정이 너무 진지해서 대수는 그만 웃을 뻔했다.

"인생을 걸다니, 그럼 저기 푸시킨도 잘 알겠구나."

"내 말을 믿지 않는군요."

의외의 모습이었다. 사냥감을 발견한 맹수처럼, 아이는 푸시킨의 대표작과 인생, 그를 죽음에 이르게 한 결투에 대해 상세히 설명했다. 그 작은 입에서 '위로'라는 단어가 나왔다.

"위로라고?"

"시인의 의무죠. 이 학교에선 특히 더 필요해요."

"어째서 그렇지?"

"독특한 규칙이 있거든요. 등교권登校權이라는 건데, 등수에 따라 교실에 들어가는 거예요."

대수가 미간을 찌푸리자 아이가 한숨을 쉬었다.

"1등이 교실로 들어가야 2등이 들어갈 수 있어요. 그 뒤에 3등, 4등이 들어갈 수 있죠. 30등도 마찬가지예요. 교실로 들어가려면 29등이 먼저 들어가야 하죠."

"만일 1등이 등교하지 못하면?"

"반 전체가 기다려야 해요. 가끔 그런 일이 생겨요. 그래서 1등은 누가 시키지 않아도 일찍 등교해요. 선생님들은 그걸 '1등의 의무'라고 부르죠."

대수는 용천을 물끄러미 바라봤다. 위로에 대한 이야기를 더 듣고 싶다고 하자 용천이 말을 이었다.

"아저씨는 학생들이 왜 왕따를 만드는지 아세요?"

"생각해 본 적이 없구나."

"두려움 때문이에요. 언제 순위가 떨어질지 모르니까, 절대적인 약자를 만들어 자신을 위로하는 거죠."

"그 역할을 자청한다는 거니?"

"서로는 아무도 위로할 수 없으니까요."

공기가 무겁게 가라앉았다. 대수는 손가락으로 서류 모서리를 만지작거렸다. 문득 '대상과의 교감은 절대 금지'라는 강사의 말이 떠올랐다. 강사는 교육하는 동안 이 말을 수없이 강조했다.

대수는 겨우 입을 열어 '가브'가 처음 나타났을 때의 상황과 그들의 요구, 수차례에 걸친 회담 결과를 기계적으로 설명했다.

"아저씨 말은 이상해요. 자유의 여신상이나 에펠 탑은 지금도 있잖아요."

"거래가 있었다. 그들은 주문만 하면 인간을 공급해 주겠다는 우리 측 요구를 받아들였지. 유통 체계를 만들기 위해 관련자를 제외한 모두의 기억을 지워 버렸어. 네가 알고 있는 에펠 탑은 진짜가 아니란다."

용천의 입술이 파랗게 질렸다. 처음 방에 들어왔을 때의 표정이었다.

"제게 음식이 되라고 하는 건가요?"

그 질문이 대수의 머릿속을 헤집었다.

"네 말이 맞아. 하지만 이번엔 조금 다르다."

대수는 주변을 살핀 뒤 의자를 당겨 용천에게 바짝 다가갔다.

"#3이라는 바이러스가 발명되었어. '가브'에게 치명적인 바이러스라고 한다. 문제는 투여 방법이야. 인간은, 그가 어떤 위치에 있어도 '가브'와 접촉할 수 없어. 그래서 우리는 공급될 사람들에게 바이러스를 투여하기로 했다. 오염된 인간을 먹고, 그들도 오염되는 거야."

"오…… 오염이요?"

"그래, 인류를 위해서다."

"인류를 위해서?"

대수는 가방에서 정부 보상 규정을 꺼내 내밀었다.

"네 어머니 앞으로 연금이 나올 거야. 일시불도 가능해."

용천은 명함을 읽을 때처럼 서류를 꼼꼼히 들여다봤다. 대수는 일어나 용천의 어깨에 손을 얹었다. 커다란 눈망울이 대수를 올려다보았다.

"자살보다 현명한 선택을 할 거라 믿는다. 그리고 오늘 네가 들은 건 전부 비밀이야. 새 나가면 네 동의 여부와 상관없이 자동으로 일이 진행된다."

용천의 손이 바들바들 떨렸다. 대수는 서둘러 상담실에서 나왔다. 학생들로 가득했던 복도가 어느새 텅 비어 있었다. 한 남학생이 상담실로 달려가, 34등 왔으니까 빨리 들어오라고 용천에게 소리쳤다.

대수는 인근 편의점에 들러 삼각김밥에 컵라면을 먹었다. 골목에 들어가 담배를 피운 뒤 버스를 탔다. 창밖으로는 고층 빌딩이 많이 보였다. 그것은 거대한 다리를 연상시켰다. 대수는 자신의 다리를 내려다봤다. 2만 원짜리 구두코가 하얗게 닳아 있었다.

대수는 '후배 현수'에게 전화를 걸었다.

"들어가는 길이야. 가능성이 있겠어. 왜 있잖아, 그런 애들이 풍기는, 뭐냐, 느낌 같은 거. 그래 징후 말이야. 알았으니까 걱정하지 마. 그냥 간단하게 먹었어. 넌 언제 끝나? 고생이 많네. 나중에 한잔하자. 제수씨한테 안부 전해 줘."

고시원은 텅 비어 있었다. 대수는 조용히 문을 열고 안으로 들어갔다. 정숙은 가장 기본적인 에티켓이었다. 대수는 공용 세탁실에서 아침에 돌린 빨래를 꺼내 방으로 들어갔다. 창문을 열고 빨래를 널었다. 옆 건물 외벽이 손이 닿을 만큼 가까웠다. 고시원 주인은 이 손바닥만 한 창문을 핑계로 매달 3만 원을 더 받았다. 대수는 어렸을 때부터 막힌 공간을 견디지 못했다. 이 작은 창문이 최근 몇 년 동안 그가 부린 가장 큰 사치였다. 대수는 침대에 누워 천장을 가로지르는 빨랫줄과 거기 널려 있는 옷가지를 바라봤다. 세제 냄새에 눈이 따가웠다.

"겨울이 오면 나뭇잎이 떨어지는 이유가 뭘까요?" 그날, 노조 대표가 말했다. "나무가 살기 위해서예요. 햇볕은 적지, 기온은 떨어지지, 그런데도 잎을 달고 있으면 나무가 죽는단 말입니다. 나무가 죽으면 잎은 삽니까? 대기업도 힘들다고 난리 치는 판이에요. 이 작은 회사가 무슨 힘이 있어서 버팁니까."

제일 연장자였던 박 형이 대표에게 욕을 하고 삿대질했다. 본사 직원들이 달려와 박 형을 강당 밖으로 끌고 나갔다. 여기저기서 고함이 오가는 가운데 노조 대표가 마이크를 들고 소리쳤다.

"마지막 기횝니다."

본사 직원들이 종이를 나눠 줬다. 거기에는, 나다 싶으면 알아서 나가라는, 그 단순한 메시지가 어려운 말로 적혀 있었다. 대수는 '마지막'이라는 단어가 몹시 마음에 걸렸다. 집에 들어갔을 때 아내는 빨래를 널고 있었다. 초등학생 딸이 학습지를 풀다 말고 양념치킨에 달려들었다. 해가 서쪽에서 뜨겠다며 아내가 호박꽃처럼 웃었다.

6년이 흘렀다. 잎은 썩어 나무로 돌아갔지만, 대수는 썩지도 돌아가지도 못했다. 창문을 통해 새 지저귀는 소리가 들려왔다. 이런 곳에서도 새가 살고 있다는 게 놀라웠다. 그 짧고 경쾌한 소리를 들으며 대수는 깊은 잠에 빠져들었다.

기름 냄새 나거든요. 가까이 오면 토할 거 같다니까. 니들은 안 그러냐? 돈을 벌어도 남들한테 피해는 주지 말아야지. 새끼가 예의가 없어, 예의가. 아이들이 일제히 웃었다. 그 기름 냄새 때문에 머리가 아파서 공부가 안 돼요. 나 대학 떨어지면 지가 내 인생 책임질 거야? 고3이 장난이야? 자살이요? 뭔 자살? 아, 작년에 수면제 먹은 거. 씨발 그거 다 쇼예요. 불쌍한 척하는 거라니까. 얼마나 지독한 새낀데. 죽긴 씨발, NPC는 원래 안 죽거든요. 아이들이 일제히 웃었다. 솔직히 그 새끼 좋은 놈 아니에요. 걔 아빠 살아 있을 땐 그 새끼가 왕따 주동자였다니까요. 내 말이 틀리냐? 지혁이가 그 새끼 때문에 전학 갔잖아. 이제 와서 피해자인 척하고 지랄이야, 지랄이. 하여튼 재수 없기론 따라갈 수가 없다니까. 아이들이 일제히 웃었다.

용천龍天. 이 거창한 이름은 푸른 용이 하늘로 승천했다는 그 어미의 태몽 때문에 지어졌다. 용천의 아버지는 사람들을 만날 때마다 자랑스럽게 그 태몽에 대해 떠들었다. 그는 아이가 자신의 뒤를 이어 재벌이 될 것을 의심하지 않았다. 용천의 아버지가 죽은 뒤, 학교 이사회는 그에게서 받은 기부금의 액수를 헤아린 뒤 아이를 학교에 남겨두었다. 그 인도적인 결정은 더 많은 기부를 불러들였다.

용천은 이른 시간에 등교했다. 하지만 35등인 아이는 교실로 들어가지 못했다. 34등은 물론, 1등도 아직 등교하지 않은 시간이었다. 용천의 발걸음은 교실을 지나쳐 옥상으로 향했다. 난간에 기댄 아이는 검은색 노트를 꺼내 뭔가를 끄적였다. 그렇게 한참을 옥상에 머물던 아이는 1교시 종소리를 듣고서야 교실로 들어갔다. 선생은 뒤늦게 들어온 아이에게 시선을 주지 않았다. 쉬는 시간이 되면 아이는 바쁘게 매점을 오갔다. 아이스크림이나 과자를 건네는 일이 아이에게 허락된 유일한 소통이었다. 주문한 것과 다르다며 한 아이가 용천의 얼굴에 우유갑을 던졌다. 흐르는 코피를 삼키며 아이는 한쪽 모서리가 찌그러진 우유갑을 주웠다.

5교시가 끝나면 용천은 가방을 꾸리고 홀로 교문을 나섰다. 남겨진 아이들의 입에서 볼멘소리가 나오자 교사가 교탁을 두드렸다.

"조용히 해! 녀석들아, 너흰 대학 가야 할 거 아냐."

차가 들어오면 아이는 라이트가 꺼지기도 전에 달려갔다. 4만 원입니다. 아이는 남자가 내민 재떨이를 받았다. 카드를 긁고, 포인트를 적립하고, 영수증과 생수를 건네면, 대기하던 차가 다시 아이를 불렀다. 어둠이 깔리고 나방 한 마리가 전기 살충기에 달려들었다. 불꽃 튀는 소리가 정적을 깨뜨리는 사이, 아이는 주유소 뒤편에서 몸 구석구석에 살충제를 뿌렸다. 그리고 들어오는 차가 뜸한 틈을 타 노트를 꺼냈다.

"시 쓰는 거니?"

용천은 갑자기 나타난 대수를 올려다봤다. 대수는 검은 노트를 낚아챘다. 페이지를 넘기며 휘갈겨 쓴 글자들을 훑었다. '엄마'라는 제목이 그의 눈동자를 붙잡았다.

"돈이 필요하다."

"……."

"네가 서류에 사인하면 내 몫으로 삼백이 떨어진다."

"……."

"이런 나를 어떻게 위로할래?"

대수를 지그시 바라보던 아이는 잠시 후 종이컵에 냉커피를 타 왔다. 싸구려 믹스 커피는 달고 시원했다. 얼음 크기도 적당해 부숴 먹기 좋았다. 얼음을 깨물 때마다 빠드득 소리가 났다.

"아저씨는 왜 삼백만 원이 필요해요?"

대수는 담배를 꺼내 물었다. 아이는 여기서 피우면 안 된다며 대수를 건물 뒤로 안내했다. 하나 달라고 하여 주었다. 피우는 자세가 익숙해 보였다. 대수는 시큰거리는 무릎을 매만지며 난간에 걸터앉았다. 종일 아이를 따라다닌 탓이다. 새삼 오십 넘은 나이가 실감이 났다. 이가 아프고 허리도 쑤셨다. 가까이 있는 것보다 멀리 있는 것을 더 잘 보게 되리라곤 상상도 하지 못했다.

너 같은 무능력자와는 살 수 없다며 떠난 아내에게서 6년 만에 연락이 왔다. 그녀는 힘겨운 목소리로 자신이 폐암 말기라고 전했다. 기뻤다, 진심으로. 모두가 불행해지기를 얼마나 기도했던가. 병원에 가기 위해 정장과 구두를 빌렸다. 뼈와 가죽만 남은 아내에게서는 죽음의 냄새가 났다. 앙상한 팔에 꽂혀 있는 바늘에 자꾸 시선이 갔다.

"얼마나 남았어?"

"삼 개월 정도."

"뭐 한다고 몸을 이 지경으로 만들었어."

"그러게……."

아내의 푹 꺼진 눈에 눈물이 맺혔다.

"당신, 못 본 사이 많이 늙었네."

"지금 남 늙은 거 걱정할 때야?"

"수희가 공부를 잘해. 학부모 면담 갔는데 의대 가고 싶다고 했대. 나한테는 그런 말 한 번도 안 했는데. 부탁이야, 첫 학기 등록금만 내 줘. 나도 퇴원해서 일할 거니까."

"말기라면서."

"조금이라도 더 벌어야지. 어차피 보험도 없어. 하나밖에 없는 우리 딸이, 우리처럼 살지 않으면 좋겠어."

아내는 또 울었다. 암이 저 앙상한 몸에 눈물만 남겨 놓은 것 같았다. 이게 내가 삼백만 원이 필요한 이유라고, 대수는 끝내 대답할 수 없었다.

주유소에서 나온 건 열한 시 조금 넘어서였다. 두 사람은 불편한 침묵을 걸치고 나란히 걸었다. 매미가 사방에서 울어 댔다.

"왜 하필 저예요?"

땅을 보며 걷던 아이가 물었다.

"조건이 좋아. 성적도 별로고, 가난하고, 미래도 없고, 무엇보다 자살 시도 경험이 있어서."

"그런 사람이 저 하나는 아니잖아요."

"하지만 결국 그런 사람인 건 맞잖아."

아이가 갑자기 멈췄다.

"아빠는 술에 취하면 벤츠에서 잤어요. 월세로 이사하던 날까지 버리지 못했던 차였죠. 그래서 자는 줄만 알았어요. 와이퍼에 꽂혀 있던 유서를 보기 전까지는 말이에요. 거기엔 더 이상 미래가 보이지 않는다고 적혀 있었어요."

고개를 돌리고 싶었는데 그러지 못했다.

"아저씨가 보기에도, 저에겐 미래가 없는 것 같나요?"

용천은 대수에게 검은 노트를 쥐여 주었다.

"읽어 보세요. 그리고 아저씨가 결정해 줘요."

아이가 떠난 자리에 검은 그림자가 드리웠다.

대수는 고시원 근처 포장마차에 들어갔다. 소주에 어묵을 시키고, 테이블에 앉아 검은 노트를 펼쳤다. 시 한 편에 소주 한 잔. 시는 대체로 어설펐다. 하지만 간간이 가슴을 치는 시가 있었다. 그런 시가 나오면, 한 번 더 읽기 위해 한 잔 더 마셨다. 어느새 얼큰하게 취한 대수가 전화기를 꺼내 더듬더듬 번호를 눌렀다.

"현수냐? 나야. 대수. 네 고향 선배 대수라고. 나? 술 먹고 있지. 혼자 먹고 있는데. 허어, 이놈 돈 벌더니 사람 말을 못 믿네. 진짜 혼자야, 임마. 히히히. 너 내가 시 한 편 읊어 주까? 시 좋아하냐? 이게 씨발 진짜 좋은 시야. 고등학생이 썼다고 믿을 수가 엄써. 제목부터가 죽인다. 하얀 눈동자. 씨발 어떻게 눈깔이 하얄 수가 있냐. 그게 눈깔이냐. 하튼, 씨발 근데 이게 좆나 슬퍼. 슬프다고 현수야. 듣고 있니 현수야? 너 말이야. 너는 이 일을 20년이나 했잖아. 어떻게…… 씨발 도대체 어떻게 그럴 수가 있냐? 응? 현수야. 대답 좀 해 봐. 현수야! 현수야! 나도 알아 현수야! 당연히 일이지. 일인 줄 누가 모르냐! 현수야! 먹고사는 게 그냥 다 변명이냐! 변명은 그런 게 아니야! 내 고향 후배 현수야! 마누라랑 36평 아파트에 사는, 씨발…… 현수야아아."

대수는 테이블을 붙잡고 쓰러졌다. 소주병과 안주들이 요란한 소리를 내며 바닥에 쏟아졌다. 부축하려는 주인의 손을 뿌리치고 비틀비틀 밖으로 나왔다. 고시원 간판이 좌우로 흔들렸다. 대수는 전봇대를 붙들고 먹은 걸 게워 냈다. 그 와중에 두고 온 노트가 떠올라 다시 포장마차 안으로 들어갔다. 기억은 여기까지였다.

대수는 유치장에서 눈을 떴다. 머리가 지끈거렸고 옷은 더러웠다. 왼쪽 어깨가 두들겨 맞은 것처럼 아팠다. 희미한 기억이 먼지처럼 부유했다. 철컹 소리와 함께 문이 열리고, 경찰이 들어왔다. 현수가 대수를 기다리고 있었다.

"몸은 좀 어때?"

"괜찮아."

현수는 주머니에 손을 넣고 담배를 꺼냈다.

"형 말이 맞아. 먹고사는 게 다 변명일 순 없지. 그런데 이거 우리만 살자고 하는 짓 아니잖아."

대수는 고개를 숙였다.

"아무래도 우리 일이 형이랑 잘 안 맞는 것 같아. 팀장한텐 내가 잘 말해 둘 테니까."

현수는 담배를 허공에 던지고 홀로 차에 올랐다.

마음이 모래처럼 바스러졌다.

대수의 아내가 죽었다. 그녀를 죽인 건 암이 아니었다. 빌딩 청소를 하던 중 갑자기 가슴을 움켜잡고 계단을 굴렀다고, 함께 일했던 여자는 말했다. 병원비 없는데 어쩌냐는 말이 그대로 유언이 되었다.

텅 빈 빈소에서 대수는 6년 만에 딸과 마주했다. 열여덟 살 딸은 낮

설었다. 그녀는 싸늘한 눈으로 대수를 노려봤다.

"나가."

작은 손이 가슴을 밀었다. 대수는 힘없이 바닥에 주저앉았다. 때 묻은 스니커즈가 눈에 들어왔다. 대수는 스니커즈를 한 번이라도 만져 보고 싶었다. 안아 주고 싶었다. 하지만 스니커즈가 뒷걸음질쳤다.

"의대 가고 싶다며?"

"당신이랑 상관없는 일이야."

"돈 구하고 있으니까 조금만 기다려."

"필요 없어."

"그냥 주웠다고 생각해. 엄마나 아빠처럼 살고 싶지 않으면 한 번만 참아."

스니커즈가 눈에 닿지 않는 곳으로 빠르게 사라졌다.

이게 뭐예요? 이 새끼, 시도 써요? 알겠어요. 제가 직접 전해 줄게요. 이제 가 봐도 되죠? 아이들이 교문 밖에 늘어선 승합차를 향해 우르르 몰려갔다. 씨발, 줘 봐 읽어 보자. 꺼져 새꺄, 내가 먼저야. 그럼 반만 줘 봐. 아이들의 손에 검은 노트가 반토막 났다. 두고 봐, 이 새끼는 전설이 된다니까.

아이들이

일제히

웃었다.

✳

이틀 뒤, 검은 노트에 있던 시가 한 편도 빠짐없이 학교 인터넷 게시판에 올라왔다. 한 편 한 편마다 무수한 댓글이 달렸다. 재기 넘치는 감상평이 과연 명문고다웠다.

용천은 대수의 휴대폰으로 게시판을 읽어 갔다. 예상보다 덤덤했다.

"일시금과 연금 중 뭐가 좋을까요?" 아이가 휴대폰을 돌려주며 물었다.

"아무래도 연금이 좋겠지."

서명을 끝낸 용천에게 대수가 담배를 내밀었다. 하얀 연기가 아침 속으로 녹아들었다.

현수는 공무公務라고 적힌 승합차를 끌고 나타났다. 그는 우시장에 나온 상인처럼 용천을 위아래로 살폈다. 마지막으로 어머니를 보고 가라는 대수의 제의를 아이는 단칼에 거절했다. 이유를 묻자 '그냥'이라고만 답했다. 현수는 뒷좌석에 아이를 태우고, 밖에서 문을 잠갔다. 현수는 시동을 걸며 대수 주머니에 통장을 찔러 넣었다.

"수고했어. 처음치곤 잘한 거야. 일 끝나고 소주나 한잔해. 상담 치료 예약 잡아 놨으니까 꼭 받고."

"상담 치료는 무슨……."

"말 들어. 이게 다 경험에서 나온 충고야. 지금은 몰라도 나중에 그게 온다니까. 사람 미치는 거 한순간이다."

"일이잖아."

"하긴, 그래. 일 맞지."

하늘이 어둑해질 무렵에야 목적지에 도착했다. 여기가 어디냐는 질문에 현수는 강원도라고만 대답했다. 대수도 더는 묻지 않았다. 차에서 내리자 차가운 공기가 뺨을 스쳤다. 산 위로 깔린 노을이 구름을 붉게 물들였다. 셋은 숲으로 둘러싸인 언덕 위로 올라갔다. 현수는 막대를 언덕 한가운데 꽂은 뒤 대수를 불렀다.

"조금 있으면 막대기에 파란 불이 켜질 거야. 그러면 애 허벅지에 이 주사를 놔. 이거 뭔지 알지?"

현수가 볼펜만 한 주사기를 흔들며 말했다. #3이었다. '가브'에게 치명적인 바이러스라고 알려진 마약.

"쟤가 중간에 도망치면 자동으로 계약 파기야. 돈도 끝나는 거고. 무엇보다 인류가 난감해진다는 걸 잊지 마. 긴장하고, 마무리 잘해."

현수는 대수의 어깨를 두드린 뒤 언덕을 내려갔다. 대수는 용천을 막대기 옆으로 데려갔다. 아이는 하늘을 보며 아름답다고 말했다.

"옛날엔 서울 하늘도 이랬다."

"믿어지지 않네요."

"나도 그렇다."

"작년에 먹은 수면제는 사실 제가 구한 게 아니었어요. 엄마가 장롱 뒤에 숨겨 놓은 걸 우연히 발견했죠. 아저씬 혼자 남겨지는 게 얼

마나 무서운지 아세요?"

대수는 대답하지 않았다. 용천도 입을 다물었다. 잠시 후 막대기에 파란 불이 들어왔다. 두 사람 머리 위로 푸른빛이 물방울처럼 일렁거렸다. 아이가 어깨를 감싸고 주저앉았다.

"미안해, 엄마."

아이는 울었다. 확장된 빛이 주변을 에워쌌다. 대수는 주머니에서 꺼낸 주사기를 들고 용천에게 다가가 마주 앉았다.

"그때, 미래가 있냐고 나에게 물었지? 매일매일 그 질문에 대해 생각했다. 하지만 역시 모르겠어. 아마 지금껏 그런 걸 가져 본 적이 없어서겠지. 그런데 오늘, 나는 난생처음으로 미래라고 할 만한 걸 얻었다. 바로 이 통장이야. 이 숫자가 보이니? 넌 이게 믿어지니?"

대수는 통장을 아이 손에 쥐여 줬다. 그리고 주사기를 자신의 허벅지에 찔렀다. 아이가 놀란 눈으로 대수의 손을 붙잡았다.

"통장 뒤에 우리 딸 전화번호가 적혀 있어. 너랑 동갑이야."

대수가 아이를 빛 바깥쪽으로 밀어냈다. 동시에 그의 몸이 허공에 떠올랐다.

"그날 커피 잘 먹었다."

이것이 대수의 마지막 말이었다. 육체가 분자 단위로 분해되는 순간, 대수는 때 묻은 스니커즈와 코가 닳아 버린 구두가 현관 앞에 나란히 놓여 있는 장면을 봤다. 대수는 그만 웃고 말았다. 빛이 순식간에 하늘로 솟구쳤다.

우주선은 축제로 들썩였다. 거리 곳곳에서 감미로운 음악이 흘러 나왔고, 저마다 사랑하는 이의 손을 잡고 행복에 젖어 들었다. 알록달록한 레이저가 '평화와 질서'라는 글자를 하늘에 새겼다. 가벼운 취기 속에서 '가브'들은 삶이 주는 경건함을 만끽했다.

이런 흥겨움 속에서도 일부 '가브'들은 바쁘게 일했다. 음향과 조명을 관리하는 기사, 혹시 모를 사태를 대비하는 경찰, 자금을 대는 정치인. 하지만 그들 중 누구도 요리사만큼 바쁠 수는 없었다. 그들은 끝없이 날아드는 주문을 채우기 위해 쉬지 않고 일했다. 동정할 필요는 없다. 그들은 누구보다도 자신의 직업을 사랑했으니까.

증기로 자욱한 주방에서 두 요리사가 땀을 뻘뻘 흘리며 고기를 손질하고 있었다. 잠시 후 뒤쪽에서 한 인간이 고리에 거꾸로 걸린 채 나타났다. 주방장이 고기를 이리저리 돌려 봤다.

—한국산이네.

—그 매운맛으로 유명한, 그런데 왜 이렇게 처져 있죠?

— 한국산은 산 채로 껍질을 벗겨야 제맛이거든. 껍질 벗길 때 너무 시끄러워서 조치를 좀 취해 달라고 주문했지. 아마 #3에 취했을 거야.

—그거 되게 독한 약이잖아요. 몸에 해롭지 않을까요?

—뭐, 식약청 놈들이 안전하다고 하니까. 한 점 먹어 볼래? 이거 뿅 간다.

두 요리사가 낄낄거리며 대수의 껍질을 벗겼다.

조시현

2018년 『실천문학』 신인상에 단편 소설 「동양식 정원」이 당선되며 작품 활동을 시작했다. 2019년 상반기 『현대시』 신인상에 시 「섬」이 당선되었다. 작품집 『AnA Vol.01』, 소설집 『이 사랑은 처음이라서』를 함께 썼다. 2020년 한국예술창작아카데미의 차세대 예술가 8인에 선정되었다.

07 어스

나를 묻어 줘.

그게 안나가 남긴 유언이었다.

인간의 몸이 썩지 않는다는 사실이 공식적으로 발표된 것은 2047년의 일이었다.

썩지 않은 쥐를 처음 발견한 것은 뉴델리로부터 98킬로미터 떨어진 한 시골 마을에서 축구를 하던 아이들로, 2043년 제정된 환경 정책의 일환으로 사육, 목축, 양계가 금지되어 가죽으로 만든 새 공을 구할 수 없었던 그들은 바람이 다 빠진 플라스틱 공을 차며 놀다가 하수구에 걸쳐 있는 쥐의 시체를 발견했다. 쥐의 시체는 흔했다. 누군가 그걸 발로 차기 시작하자 어느새 그것은 놀이가 되었다. 얼마 안 가 근방의 농작물들이 이유 모를 병에 걸려 시들고 있다는 사실이 뉴델리 국립 과학원에 보고되었다. 전문가들이 파견되었다. 원인은 명확하게 밝혀지지 않았지만 인근 농가에서 거의 썩지 않은 쥐 무더기가 발견되면서 이 사실은 본격적으로 세계의 이목을 끌었다. 썩지 않는 물고기나 새, 반려동물에 대한 보고는 꾸준히 있었지만 야생 동물의 개체 수가 확연히 줄어든 탓에 줄곧 예외적인 사태로만 여겨지던 상황이었다. 하지만 뒤이어 파리 인근의 매장지에서 방사능 피폭 수준의 심각한 토질 오염이 발견되면서 최근 몇 년간 매장된 인간들이 조금도 썩지 않았다는 사실이 알려지자 사람들은 더 이상 사태를 외면할 수 없는 지경에 이르렀다. 반경 몇 킬로미터 이내에서는 살아 있는 것을 발견할 수 없었고 땅은 회생이 아예 불가능한 정도였다.

인간을 매장하는 것이 쓰레기 — 혹은 그보다 더 나쁜 것 — 를 묻는 것이나 다름없다는 사실이 국제 환경 과학자들에 의해 공식적으로 보고되었다. 원인으로 지목된 것은 인간들이 만들어 낸 모든 것, 더 정확하게 말하자면 거기서 발산하는 화학 물질들이었다. 오래전부터 인간의 몸에서는 미세 플라스틱과 중금속이 꾸준히 검출되어 왔다. 심각한 수준의 호르몬 변화는 종종 다큐멘터리의 소재가 되었고, 각종 유해 물질에 지속적으로 노출된 지구 환경은 임계점을 넘어선 지 오래였다. 독성 스모그, 바다 생태계 오염, 토양 부식, 미세 먼지를 비롯한 환경 재난과 온난화로 유발된 재해가 거듭되는 상황에서도 인간에게는 해야 할 일이 많았고, 늘어난 수명만큼 스스로를 책임져야 했다. 모두가 건강을 걱정했다. 그중에서도 가장 화두가 되는 것은 위생이었다. 식수와 식량을 확보하고 깨끗하고 안전한 물건을 사용하기 위해 더 많은 화학 물질이 필요했다. 그럴수록 더 많은 것들이 오염되었다. 인간들은, 그저 지구가 조금 더 버텨 주길 바라며 하던 일을 계속할 수밖에 없었다. 그것들이 한데 모여 어떤 식으로 화학 작용을 일으켰는지 알 수 없었지만 먹이 사슬의 최정점에 있는 인간에게 이를 피할 방법은 없었다.

엄마는 못된 일을 저지른 아이라도 결국 품에 안아 주었다. 그런 식으로 지구에서 태어난 모든 생명체는 안식을 맞이했다. 때문에 지구로부터 거부당했다는 사실을 알아챈 인간들은 몹시 당황할 수밖에 없었다. 어떻게 감히 그럴 수가 있지? 엄마는 어떤 아이라도 용서해야 했다. 인간들은 자연스럽게 용서라는 말을 떠올리고 나서야 지구와 그들의 관계를 되짚어 보았다. 당연한 기대. 당연한 믿음. 그들은 이제 아무 데에서도 받아들여지지 못하고 표면을 떠도는 존재에 불과했다. 동그란 지구에서는, 톡 치기만 하면 언제든 굴러떨어질 수 있었다. 그제야 인간들은 아주 많은 기회를 그냥 흘려보냈음을 깨달았다. 미래에 대해 말하고 상상할 수 있었던 모든 순간이 전부 기회의 순간이기도 했다는 것을.

그렇다면 죽은 인간의 몸을 이제 무엇으로 분류해야 하는가. 윤리와 실존을 두고 무수한 말이 오갔다. 심각한 기후 재난은 티핑 포인트를 넘어선 지 오래였고, 논쟁할 시간은 많지 않았다. 마침내 세계 보건 기구와 국제 환경 협약 표준에 의해 인간의 몸은 산업 쓰레기로 분류되었다. 매장도 화장도 금지되었다. 둘 다 심각한 수준의 토질 오염과 대기 오염을 유발하기 때문이었다. 산업 쓰레기는 으레 그렇듯이, 쓰레기 매립장으로 이동하게 되어 있었다.

수많은 항의가 이어진 뒤, 인간들을 위한 매립장이 따로 만들어졌다. 사망 신고를 한 뒤 수거원이 방문하면 그를 통해서만 매립장에 보낼 수 있었다. 죽은 몸이 내뿜는 유해 물질이 몹시 지독했으므로 매립장에 들어가도록 허락되는 것은 수거원들뿐이었다. 사람들이 처음부터 선뜻 새로운 법을 받아들인 것은 아니었다. 절대 그런 식으로 할 수는 없다고 매장이나 화장을 하다 어마어마한 벌금을 물게 된 사람도 여럿 있었다. 벌금을 기꺼이 지불할 수 있는 사람도 있었지만, 그렇지 못한 사람이 더 많았다. 초반에는 한때 사랑했던 이를 차마 매립장으로 보내지 못해 방 안에 감춰 두는 사람도 있었으나, 몸에 있는 구멍이 열리고 유독성 물질을 뿜어 대기 시작해 아파트 전체를 폐쇄하는 등의 사건이 연이어 일어나자 법이 강화되었다. 대부분의 사람은 각종 청구 비용과 배상 비용을 감당할 수 없었다. 모두에게, 몸이 하나 겨우 들어갈 정도의 플라스틱이 배분되었다. 그런 의미에서 죽음은 거의 공평해졌다.

방치된 죽은 몸이 수거원들에게 폭탄이라는 은어로 불린다는 사실을 알려 준 건 모란이었다. 병주의 남동생에게 들었다고 했다. 폭탄을 몇 개 처리한 뒤로 안색이 부쩍 나빠져 병주의 걱정거리가 늘었다는 말이었다. 요샌 아예 눈이 맛이 갔대. 그런 식으로 매립지에 대한 얘기를 전해 들으며 나와 안나는 평소와 같이 출근했다. 우리의 일상은 거의 변하지 않았다. 생활에는 물건이 필요했고, 물건을 사기 위해서는 돈이 필요했다. 아직 50억에 육박하는 인구가 살아 있었다. 일련의 사태에 우리가 할 수 있는 일은 없었다. 나빠지는 것에 일조하고 있다는 것도, 사람들이 우리를 원인으로 지목하고 있다는 것도 알았지만 일을 섣불리 그만둘 수는 없었다. 환경 정책에 맞춰 공장들은 생겼다가 사라지기를 반복했다. 플라스틱 관을 만드는 공장에 취직할 수 있었던 건 천운이었다. 어쨌든 살아 있는 사람이 남아 있는 한 공장은 멈추지 않을 테니까. 예상대로 관 공장은 멈추지 않았고, 안나는 죽었다.

에코피아에 사는 것이 자랑스러운 일은 아니었다.

그래도 이곳은 나와 안나의 소중한 보금자리였다. 우리는 이사하면서 집을 합쳤고, 3년간 함께 살았다. 에코피아는 2054년 국가의 주도로 지어진 친환경 아파트로 집을 구하거나 옮길 여력이 되지 않아 구舊아파트에 사는 전부가 이주 대상이 되었다. 그것은 말하자면 환경 부담금을 감당할 수 없는 저소득층이라는 낙인이었고, 각종 환경 오염에 큰 책임이 있다는 의미였다. 네오시티가 등장한 지 7년 만의 일이었다. 네오시티는 신재생 에너지를 이용하여 스스로 에너지 공급을 할 수 있는 아파트 단지였는데, 친환경 건설이라는 말을 앞세워 기존의 아파트를 헐고 건설되었다. 처음에는 시험적으로 운영되던 것이 10년이 채 지나지 않아 아파트 단지의 대부분을 차지하게 됐다. 그것을 필두로 공공 기관이나 큰 건물들도 보수 개축되었다. 자가 에너지를 공급할 수 있게 된 대부분의 건물들은 각종 세금을 면제받았다. 여유가 되는 사람들은 당장 이사를 시작했다. 한편 기존의 방식대로 에너지를 사용하는 건물은 세금은 물론, 페널티까지 지불해야 했다. 어떻게 해도 신형 아파트로 이사를 갈 정도의 돈을 마련할 수는 없어서 비난과 비용을 고스란히 감당할 수밖에 없었다. 그 억울함과 어쩔 수 없음이 나와 안나의 마음을 한데 묶었다.

차별과 혐오가 극에 달하자 정부는 불평등을 완화시키고 이산화탄소를 비롯한 오염 물질 배출량의 국제 기준을 맞춘다는 명목으로 에코피아를 조성했다. 네오시티의 시설과 크게 구분되지 않는 방식으로 지어져 열과 빛과 바람이 전기로 전환되고, 인분은 곧장 분해되어 물과 바이오가스로 활용되었다. 바닥을 밟을 때마다 전기가 만들어졌다. 생산한 에너지만큼 포인트가 발생해 할인을 받거나 각종 사회 사업에서 우선순위가 될 수 있었다. 환경 부담금을 면제받기도 했다. 나나 안나의 경우, 대부분의 시간을 공장에서 보낼 수밖에 없었기 때문에 포인트를 얻기는 어려웠다. 사람들이 으레 말하듯 게으름 탓은 아니었다. 그래도 구舊단지에서 생활하며 가질 수밖에 없었던 죄책감은 조금이나마 덜 수 있었다. 사실 이제 세계가 어떻게 되든, 이대로만 살 수 있다면 아무 걱정 없겠다고 생각했다.

어떻게 됐냐.

1층으로 내려오자마자 평상에 앉아 있던 복자가 물었다. 걱정이 담긴 눈빛이었다. 내가 썩 좋아하지 않는다는 것을 빤히 알면서도 저런 얼굴로 말을 붙이는 이유는 안나 때문일 터였다. 무슨 말을 해야 할지 알 수 없어 입술만 달싹였다. 공기는 축축했고, 쿰쿰한 냄새가 났다. 해가 나는 날이 거의 없는데도 복자는 매일 평상에 앉아 알아들을 수 없는 말을 혼자 중얼거리면서 햇빛을 기다렸다. 우리가 들어오기 한 달 전에 들어왔다는데, 듣자 하니 처음부터 그랬던 모양이었다. 보기에는 거슬리지만 해를 입히는 것은 아니어서 내버려 두었더니 계속 저런다고, 이제 와 뭐라고 하기도 애매해서 사람들도 그냥 내버려 두고 있는 것 같다고, 옆집 사람에게 들었다. 처음 복자에게 말을 건 것은 안나였다. 안나는 천성이 밝고 명랑했다. 그날도 복자는 어김없이 평상에 앉아 있었다. 내게 복자는 뜨지도 않는 해를 하릴없이 기다리는 이상한 할머니에 불과했다. 다들 자신의 위치에서 열심히 힘을 내서 살아가는데, 복자 같은 사람이 눈에 다 띄는 데서 저러고 있으니 동네 평판까지 나빠지는 거라고 내심 생각해 왔기 때문에 안나가 인사를 건네는 것이 당황스러웠다. 애초에 안나의 그런 성격 때문에 가까워질 수 있었던 것이었으면서도 나는 안나가 쓸데없이 오지랖을 부린다고 생각했다.

꿈에 나온다.

네?

인사에 대한 대답은 아니어서 나도 안나도 당황했다.

노인이 나와서 자꾸만 운다.

나는 안나에게 눈짓을 하며 어깨를 으쓱였다.

테레비에서 본 적이 있다. 모르는 할아버지가 나와서 몸을 덜덜 떨며 춥다고, 춥다고 내내 울더란다. 몇 날 며칠을 울더란다. 알고 보니 관에 물이 새고 있었던 거다. 조상이 나와서, 무덤 좀 돌봐 달라고 그랬던 거지.

무덤이라니. 너무 오래된 얘기였고, 지금 와서는 가능한 일도 아니었다. 그게 조상이 할 말인가. 이미 없는 사람인 주제에 뭘 돌보라는 거야. 세상을 이렇게 만들어 놓고 멋대로 낳은 주제에 죽어서까지 책임지라니. 그건 이미 투정 수준도 아니었다. 미신적인 이야기를 늘어놓는 복자가 더 불편해졌다.

아버지가, 자꾸 시끄럽다고 한다. 여기가 너무 시끄럽다고, 죽어서도 나를 들들 볶아서 잘 수가 없다.

이쪽을 올려다보는 복자의 눈이 퀭했다. 나는 안나의 팔을 잡아끌었다. 놀란 탓인지 안나는 순순히 끌려왔다.

거봐. 이상한 할머니라니까.

웬만하면 말을 걸지 말라는 뜻이었는데 안나는 종종 복자와 이야기를 나누었다. 아프게 된 뒤로는 더 그랬다. 무슨 말을 했느냐고 묻자 꿈 얘기를 한다고 했다. 아예 하루 종일 평상에 앉아 복자와 해를 기다리기도 했다. 안나가 그런 유언을 남기게 된 것에 복자의 영향은 얼마나 있을까. 정상적인 사람이라면 그런 부탁을 할 리가 없잖아. 그러나 이미 들어 버린 말을 잊어버릴 수도 없었다. 복자는 내 얼굴을 보고 사정을 다 알아차린 듯, 별다른 말도 없이 엉덩이를 옆으로 물리고 방금까지 앉아 있던 자리를 두드렸다. 잔뜩 소리라도 지르면 없던 일이 될까, 꿈에서 깰까, 속이 시원해질까, 여러 생각이 스쳤지만 복자의 표정을 보자 맥이 풀렸다. 모란과 병주에게 소식을 전해야 한다고 생각하면서도 나는 복자의 옆에 앉았다. 복자의 앙상한 손이 어깨에 올라왔다. 내내 미친 노인 취급을 하며 무례하게 굴었는데, 어째서 나를 위로하는 걸까. 내가 아니라, 안나를 애도하는 걸까.

안나는 오랫동안 아팠기 때문에 마음의 준비는 오래전부터 되어 있었다. 하지만 그 애는, 대체 어쩌자고 그런 유언을 남긴 거야. 너무 이기적인 거 아닌가. 들킬 확률이 훨씬 더 높고, 들킨다면 나는 벌금을 물어야 하고, 그 벌금은 아마 내가 평생 일해도 갚을 수가 없을 것이고, 그것과는 상관없이 안나는 결국 매립장으로 가게 될 거다. 그러면 나는 유언을 제대로 지켜 주지 못한 것에 평생 죄책감을 안고, 갚을 수도 없는 벌금을 조금씩 헐어 가며 인생을 낭비하겠지. 죽은 애인과 관련된 빚을 평생 갚아 나가는 사람을 사랑할 머저리도 없을 것이다. 어쨌든 지구에도 못 할 일이었다. 죽어서 묻히는 일 따위, 뭐 그리 대수라고. 억울해서 눈물이 날 것 같았다.

할머니가 부추겼어요?

어깨를 다독이는 손을 쳐 내며 사납게 묻자 복자의 눈이 동그래졌다.

뭘 말이냐?

요즘 걔랑 가장 많이 얘기한 게 할머니잖아요. 걔가 그렇게까지 황당한 애는 아니었단 말이에요.

나는 복자를 노려보며, 내가 없는 곳에서 그녀가 안나에게 불어넣었을지도 모를 불온한 생각의 기미를 찾아내려 애썼다. 복자는 시선을 피하지도, 의심을 부정하지도 않았다. 먼저 눈을 피한 것은 나였다. 그 사실에 더 화가 났다. 자꾸만 화가 났다. 현관 언저리에는 아직도 화분이 놓여 있었다. 처음 여기로 이사 오는 날, 나와 안나는 뚱뚱한 화분을 샀다. 나름대로의 기념이었고, 우리에겐 상징적인 의미가 컸다. 양쪽에서 잡고 함께 옮겨야 할 정도로 무거워서 몇 번이나 들었다 내려놓았다 하며 집 앞까지 왔지만, 그걸 들고 차마 계단을 올라갈 엄두가 나지 않아 나중에 가져가자고 잠깐 내려 둔 것이 자리가 됐다. 안나는 모종삽도 구입했다.

우리가 해치기만 하는 것은 아니야.

토질 오염이 한계치를 넘어서면서 농작물 재배는 특수 구역에서만 가능해졌고 종자를 보호해야 한다는 이유로 씨앗은 정부와 기업이 관리했지만, 아예 구할 수 없는 건 아니었다. 녹지를 되살리려는 캠페인은 꾸준히 이어지고 있었다. 우리는 두 달 치 월급으로 씨앗을 샀다. 알려진 바에 의하면, 마지막으로 인간의 손에서 씨앗이 싹을 틔운 것은 20년 전이었다. 우리는 출근하는 길마다 텀블러에 물을 담아 내려와 화분에 뿌렸다. 매일매일 화분을 확인했다. 아무런 일도 일어나지 않았다. 애초에 죽은 씨앗이었을 거라고 단정 지은 나와는 달리 안나는 자신의 손을 오랫동안 의심했다. 햇빛 아래 뿌리처럼 뻗은 손금을 이리저리 비춰 보며 산업 쓰레기, 조그맣게 중얼거리는 말에는 나도 모르게 화가 나서 안나의 어깨를 때렸다. 안나는 없는데 화분은 그 자리에 그대로 놓여 있었다.

좋은 애였어.

내 시선을 따라간 복자의 말에 나도 모르게 울음을 터트리고 말았다.

우리는 공장에서 만났다. 누구나 먹고 입어야 했으므로 식품 공장과 방직 공장은 자주 개정되는 환경 정책에도 유연하게 살아남아 인기가 좋았다. 나는 그다음으로 인기가 높은 관 공장을 선택했다. 운과 확률이 내가 알고 있는 삶의 전부였고, 내 삶은 그 확률을 조금이나마 높이는 방향으로 이루어져 있었다. 안나는 내 맞은편 대각선 자리에서 일했다. 느슨하게 묶은 머리가 뺨을 타고 흘러내려서 왼뺨에 있는 점을 자꾸 가렸다. 그게 신경 쓰여서 계속 흘끗거렸더니 자꾸 눈을 마주쳤다. 안나가 씨익 웃었다. 징말로 씨익, 하는 웃음이었다. 서둘러 시선을 피했는데 점심시간이 되자 안나가 옆자리로 다가왔다.

얼굴 뚫어지겠다.

공장에서는 점심마다 단체로 도시락을 제공해 주었다. 노란 플라스틱 그릇에 매일매일 조금씩 다른 음식이 담겨 나왔다. 플라스틱은 이미 생활의 너무 많은 부분을 차지하고 있었기 때문에 문제라는 걸 알면서도 벗어날 수 있는 방법이 없었다. 인원을 전부 수용하기에는 터무니없이 작은 식당에서 먹어도 되었고 운동장이라고 말하기에도 민망한 작은 공터나 자기 자리에서 먹는 것도 크게 상관은 없었다. 그날 나온 것은 삼각김밥이었다. 완벽하게 멸균된 제품입니다. 옆얼굴로 느껴지는 안나의 시선 때문에 포장지에 쓰인 글자에서 눈을 떼지 못했다.

삼각김밥 좋아해?

나는 고개를 끄덕였다. 안나가 자꾸 말을 붙이려 한다는 사실이 놀라웠고, 좀 더 그럴싸하게 대꾸하지 못하는 것에 화가 났다.

김치마요? 참치마요?

뭐든 상관없어.

그러면 안 돼. 언제나 더 나은 것을 선택할 수 있어서 인간이잖아.

안나가 신중한 얼굴로 나무라듯 말했다. 삼각김밥에 대한 말치고 너무 거창하게 들려서 또 말문이 막혔다. 내 표정을 본 안나가 다시 씨익 웃었다. 옆자리에 앉은 안나는 별로 불편한 기색 없이 포장을 벗기고 삼각김밥과 노란 그릇에 담겨 나온 된장국을 번갈아 가며 먹었다. 나도 얌전히 내 몫을 먹었다. 맛에 대해서라도 얘기하고 싶었지만 어떤 맛인지 알 수가 없었다. 그때 머리 위로 새까만 그림자가 어렸다. 당시의 사장으로, 지금 사장의 큰아버지였다. 그에게서는 늘 곰팡이가 핀 오렌지 같은 묘한 향이 풍겼다. 어찌나 독한지 직원들은 냄새로 그가 가까이 다가오고 있음을 알아챌 수 있었고, 딴짓을 하다가도 그 냄새를 맡으면 곧장 자세를 고쳤다. 그를 주제 삼아 농담을 꾸며 내는 일이 공장 생활의 몇 안 되는 낙이었다. 왜 하필 그런 향수를 뿌리는지를 모두가 궁금해했는데, 얼마 가지 않아 그가 공장에서 일하는 어떤 직원을 좋아한다는 소문이 돌았다. 자꾸만 직원들 사이를 알짱거리는 것도 그 때문이라는 말이었다. 사장이 좋아하는 게 설마 안나였던 걸까? 그는 어딘가 화가 난 듯한 얼굴로 우리를 내려다보고 있었다.

왜요?

안나가 묻자 그는 사무실 쪽으로 턱짓을 했다. 안나가 자리에서 일어났다. 그 소문이 진짜였나. 사장을 소재로 한 농담에 안나가 웃었던 적이 있나. 두근두근하고 있는데 그가 미간을 찌푸리며 나를 보았다.

너도 일어나야지.

그는 사무실에 쌓여 있는 박스를 우리에게 들게 했다. 별로 무겁지는 않았다.

뭐가 들었어요?

안나가 밝은 목소리로 물었다.

주걱.

별로 대답을 기대하진 않았는데, 말투에 섞인 명랑함 탓인지 사장은 선뜻 대답해 주었다.

주걱을 이렇게나 많이요?

동호회 사람들에게 나눠 줄 거야.

우리의 표정을 보고 무슨 생각을 한 건지 사장은 생분해되는 친환경이라고 덧붙였다. 사장은 걷기 동호회 소속이었다. 바닥을 밟으면 발생하는 에너지가 즉시 포인트와 전기로 전환되는 탓에 여유가 되는 사람들은 틈틈이 운동을 하곤 했다. 이미 인간이 맨발이 될 수 있는 구역은 건물 내부나 시멘트, 아스팔트뿐이라는 요지의 법이 통과된 이후였다. 맨살이 닿으면 식물이 견디지 못하는 탓에 특수복을 입지 않으면 입산을 하는 것도, 정원을 가꾸는 것도 모두 금지되어서 사람들은 주로 실내 스포츠를 즐겼다. 옛날이 좋았는데, 옛날이 좋았는데, 하며 트랙을 뱅글뱅글 돌고 클라이밍을 했다. 이동할 형편이 안 되면 그냥 제자리걸음을 하기도 했다. 그런 것을 혼자 하기 민망해서 동호회라는 이름을 붙이는 사람이 많았다. 박스를 다 옮기자 사장은 수고했다며 우리에게 주걱을 한 묶음씩 들려 주었다.

동호회나 즐기다니 형편 좋네.

막상 안나에겐 대답도 못해 놓고 불만스러운 목소리가 튀어나왔다. 안나가 눈을 크게 뜨더니 그러게 말야. 근데 너 목소리 좋네, 하며 웃었다. 그때부터 우리는 같이 밥을 먹었다. 어느 순간부터는 자연스럽게 연차를 맞추고 있었다. 서너 달쯤 뒤 사장이 바뀌었다. 전 사장의 조카라는 남자는 이마에 사마귀가 난 것을 빼면 전 사장과 두루뭉술하게 닮은 얼굴이었다. 공장 전체가 술렁거렸지만, 사장의 조카는 그의 죽음에 대해 아무런 이야기도 해 주지 않았다. 사람들은 그게 향수 때문일 거라고 수군거렸다. 그 무렵 에코피아 입주가 시작되었다. 월세, 아끼는 편이 좋지? 우리는 포인트가 적으니까. 삼각김밥 비닐을 벗기며 태연한 척 말했지만 가슴이 미친 듯이 뛰고 있었다. 안나의 팔꿈치가 옆구리를 부드럽게 찔렀다. 너 진짜 멋없는 거 알지? 나니까 살아 준다.

우리는 싸고 튼튼한 물건을 구입했다. 내일도, 모레도, 일단은 살아 있을 테니까. 그런 것들이 중요했다. 일을 하기 위해서는 먹어야 했다. 우리 자신의 몸을 책임져야 했다. 거두고, 먹이고, 보살필 의무가 있었다. 그것을 잘하는 것. 윤리가 있다면 그런 것이었다. 나는 항상 미래를 생각해야 했다. 미래를, 다음에 올 것을. 매번, 매번, 매번, 쉴 틈 없이. 생활을 애썼고, 비참해지지 않기 위해 노력했다. 그게 너와 함께 살아가게 될 미래였기 때문에, 정말이지 열심히 했어.

여기서 뭐 해.

모란이 얼굴을 잔뜩 찌푸린 채로 다가왔다. 내가 하도 오지 않아 와 본 모양이었다. 늘 입고 다니는, 폴리에스테르 재질의 연한 갈색 트레이닝복 주머니에 양손을 끼워 넣은 채였다. 모란은 A동에 살았기 때문에 출근길에 복자를 지나칠 필요가 없었다. 그래도 아파트에서 복자를 모르는 사람은 없었다. 내가 복자의 어깨에 머리를 기대고 있는 것을 보고 모란은 어이없다는 표정을 지었다. 동시에 안나의 상태를 눈치챈 것 같았다. 안나가 공장에 나가지 못하게 된 지도 어느새 두 달이나 되었으니까.

병주가 기다려.

모란은 복자는 아는 척도 않고 내 팔뚝을 잡아끌었다. 딱히 무례하게 굴려는 의도가 아니라 원래 이런 것에 신경을 안 쓰는 애였다. 내가 팅기듯 일어나자 복자는 다시 새까만 하늘로 고개를 들고 혼잣말을 중얼거리기 시작했다. 병주의 차에 올라 공장까지 가는 동안 둘은 아무것도 묻지 않았다. 룸 미러로 흘끔흘끔 눈길이 닿아서 먼저 입을 열기를 기다리고 있다는 것을 알 수 있었지만 모르는 척 창밖으로 고개를 돌렸다.

모란과 병주를 알게 된 것도 안나 덕분이었다. 전 사장이 모란을 쫓아다녔다는 소문이 어디에서 시작되었는지는 알 수 없지만 한번 떠오른 소문은 좀처럼 사라지지 않았다. 누군가가 지금 사장과 싸우는 것을 봤다고 했다. 모란은 인상은 차가웠지만 얼굴이 하얗고 체구가 작아 어딘가 연약해 보였다. 그 때문인지 아무도 자신을 얕보지 못하게 하겠다는 듯 늘 사나운 표정을 짓고 있었다. 모란은 소문을 부정하는 대신 무시했지만 그게 더 악의적으로 말을 부풀렸다. 그날은 간만에 휴가를 맞춘 데다 주말까지 끼어 있어서 나와 안나는 밤새 영화를 보고 섹스를 하고 졸다가, 문득 눈을 떠 입을 맞추고 다시 몸을 섞고, 다음 영화를 고르며 내키는 대로 시간을 보냈다. 한참 그러다가 편의점에 가려고 집을 나선 차였다. 아직 해가 뜨기 전이어서 아파트는 조용했고, 세상은 파란빛이었다. 후드를 쓴 채 앞서 걷는 누군가를 발견한 안나가 팔꿈치로 옆구리를 찔렀다.

어. 쟤. 걔 아냐?

알아?

우리 구역에서 일하잖아.

아무도 없는 곳에서 속삭이는 목소리는 지나치게 크게 들렸다. 자신에 대한 이야기임을 알았는지 모란이 고개를 돌렸다. 눈빛이 매서웠다.

안녕.

안나가 웃으며 인사를 건넸지만 모란은 우리를 쏘아보고는 빠른 걸음으로 사라져 버렸다.

소문이 진짠가?

소문?

사람들과 곧잘 어울리기 때문인지 안나는 여기저기서 들어오는 얘기도 많았다. 듣는 사람이 없는데도 안나는 볼륨을 낮췄다.

주말마다 매립장에 간대.

거길 왜? 어차피 못 들어가잖아.

매립장은 위험 구역이었다. 인공위성까지 동원해서, 수거원과 수거 로봇 이외의 것이 들어가지 못하도록 철저히 관리한다고 했다. 죽

은 몸이 내뿜은 유해 물질은 방사능과 비슷한 수준으로 나쁘다고 했
다. 설사 들어가는 길을 찾았다고 한들, 그건 자살 행위에 가까웠다.

뭘 찾는대.

그런 위험을 감수하는 거라면 돈 문제일 확률이 높았다. 죽은 몸이
신고되면, 인도된 시신은 그대로 플라스틱 관으로 들어갔다. 가끔 시
신의 몸이나 주머니를 뒤져 쓸 만한 재산을 뒤지다 잡히는 사람들이
있긴 했다. 사람들은 그들을 하이에나라고 불렀다. 모란은 체구가 작
아 날쌔 보이긴 했지만, 하이에나처럼 보이진 않았다.

애인일지도 몰라.

안나가 중얼거리며 내 손을 꼭 잡았다. 갑작스러운 온기에 어깨가
떨렸다. 다음 날 퇴근길에 다시 모란을 봤다. 모란은 길가에 세워진
스타렉스 운전수와 이야기를 나누고 있었다. 구형차는 여러 환경 문
제로 거의 폐기되었고, 특별 허가를 받은 사람만 몰 수 있었다. 공장
에서는 좀처럼 볼 수 없는 누그러진 얼굴로 대화를 나누던 모란이 조
수석에 올라타는 걸 보고 눈이 동그래진 안나가 팔을 잡아끌었다. 아
무렇지 않게 뒷문을 연 안나가 나를 먼저 밀어 넣었다.

같이 좀 타자!

뭐야. 아는 애들이야?

운전수가 우리를 돌아보더니 모란에게 물었다. 모란은 당황해서
인상을 쓸 겨를도 없는 것처럼 보였다. 무방비한 얼굴에 내심 친밀감
이 들었다.

응, 직장 동료! 우리도 에코피아야. 근데 이쪽은 누구? 이거 구형차

아니야? 허가 난 거 아니면 안 되는 거 아냐?

안나는 자연스럽게 말문을 텄다. 모란은 뭔가 말하려다 말고 한숨을 내쉬며 앞 좌석에 몸을 깊이 파묻었다.

아, 난 구형 아파트를 철거하고 있어서 허가받았어. 모란이 공장 얘길 한 적은 없는데. 어떡하지? 일단 출발할까?

병주가 백미러로 모란의 얼굴을 확인했다. 당장 내리라고 할까 봐 약간 긴장했지만, 모란은 찌푸린 채로 고개를 끄덕였다. 나중에 알게 된 바로는, 병주는 용역 업체에서 구아파트를 허무는 일을 하고 있었다. 일자리를 늘리기 위한 정부 사업의 일환이었다. 지속적인 일자리가 적어 정부는 여러 가지 종류의 사업을 주도했다. 부수고, 다시 세우고, 다시 부수고. 그냥 똑같은 짓 하면서 새로운 척하는 거지 뭐. 병주는 그것을 비웃곤 했지만, 일을 그만둘 순 없었다. 아직도 부술 것이 많았다.

난 안나야. 앤 여리.

난 병주.

근데 너, 진짜 매립장에 가?

안나가 앞 좌석에 찰싹 몸을 붙이자 모란이 눈을 찡그렸다.

그게 왜 궁금한데.

모란의 말투에는 그만 꺼져 달라는 기색이 역력했지만 안나는 아랑곳하지 않았다.

네가 하이에나일 것 같진 않아서.

모란은 잠시 말을 멈추고 가늠하는 기색으로 우리를 살폈다. 어쩐지 긴장감이 들었다. 마침내 유해하지 않다는 판단이 든 것인지 모란은 약간 풀어진 얼굴로 고개를 돌렸다. 둘이 붙어 있어도 사람들은 우리를 그렇게 판단했다. 그렇게 물러서는 서로를 지킬 수 없어. 누구도 지킬 수 없다. 왠지 자존심이 상했다. 원할 때는 얼마든지 나빠질 수 있다는 것을 보여 주고 싶었다.

누굴 찾고 있어.

그러나 이어진 모란의 말에, 나는 그것을 다음으로 미루기로 했다.

누구를? 왜 찾는데?

그 새끼 얼굴에 침을 뱉을 거야.

무시당할 줄 알았는데 의외로 대답이 돌아왔다. 그러니까, 누군가의 얼굴에 침을 뱉기 위해 목숨을 걸고 매립장을 돌아다닌다는 거야? 대체 얼마나 어마어마한 원한을 품었기에 그런 일을 하는 걸까. 저런 표정으로 저런 말을 하게 하는 사람이라면, 모르긴 몰라도 좋은 관계는 아닐 터였다. 안나도 말실수를 했다고 생각한 건지 당황스러움을 감추지 못하고 모란과 병주의 눈치를 봤다.

혹시 전 사장이야?

무심코 묻자 모란이 어림도 없다는 듯 코웃음을 쳤다.

모란은 체구가 작아서 잘 안 들키더라.

분위기를 풀려는 건지 병주가 아무렇지 않게 대꾸했다. 어느새 에코피아 앞이었다. 우리를 내려 주고, 이제 자신은 일을 하러 가야 한다고 했다. 이 녀석 좀 잘 부탁해. 착한 애야. 병주가 모란의 머리를 쓰다듬자 모란이 그의 팔을 때렸다. 태워 줬으니까 저녁은 우리 집에서 먹을래?

안나가 묻자 모란이 거절하기도 전에 병주가 고개를 끄덕였다. 그거 잘 됐다. 내 몫까지 먹고 와. 그날부터 우리는 함께 다니기 시작했다.

신고는 했어?

병주의 질문이 나를 현실로 잡아당겼다. 어느새 공장 근처였다. 추위가 느껴져 몸을 웅크렸다. 자꾸 입안이 말랐다. 내가 도움을 청할 수 있는 건 이들뿐이었다.

안나가 유언을 남겼어.

둘은 대답이 없었다.

자신을 묻어 달라고 했어.

내 말에 모란이 눈을 가늘게 떴다. 책망하는 듯한 기미가 섞여 있었지만, 곧장 타박이 돌아오지는 않았다. 나는 다시 창밖으로 시선을 돌렸다. 눈을 마주하기가 어려웠다. 건물가의 쓰레기장은 소주병으로 가득했다. 육안으로 볼 수 있는 유일한 초록색이었다.

도와줘.

뭘.

땅을 파야 해.

의도했던 것보다 내 목소리는 더 고집스럽게 들렸다.

걘 미쳤어.

한참 만에야 모란은 사납게 중얼거렸다. 혼자서는 할 수 없었다. 안나를 옮기기도 전에 들켜 버릴 것이다. 병주가 한숨을 내쉬었다.

네 마음은 알겠지만 어떻게 그런 짓을 해? 그건 불법이야. 들키면 어떡하게? 벌금을 감당할 자신은 있어? 당장에 땅이 죽는다고. 사람이 죽는다고.

도와주지 않으면 너넬 신고할 거야. 하이에나라고. 공사장용 차로 매번 매립장에 숨어든다고.

차가 갑자기 멈춰 서는 바람에 몸이 앞으로 기울어 헤드에 머리를 박았다. 병주가 처음 보는 얼굴로 나를 노려보고 있었다.

너는 우리가 바보로 보여? 신고하면 누가 잡혀갈 거 같은데? 상황 복잡하게 만들지 말고 절차대로 해. 그게 걔를 위한 거야.

우릴 감싸고 있던 부드럽고 호의적이었던 분위기가 순식간에 깨져 버렸다는 사실을 알 수 있었다. 도착할 때까지 차에는 싸늘한 침묵이 감돌았다. 안나가 없다는 사실만으로도 나는 안온한 세계에서 밀려나고 있었다. 복자라면 이해해 줄까. 할 수 있는 가장 큰 힘으로 문을 닫고 내렸다. 내가 지금 할 수 있는 유일한 화풀이였다.

아프기 시작한 뒤로도 안나는 계속 일했다. 관을 만들었다.

텔레비전에서는 종종 매립지의 모습을 비춰 주었다. 마치 벌집처럼 구획이 나뉘어 있었다. 수거원들은 쓰레기 봉지를 버리듯 툭, 툭 관을 던졌다. 방사능복 같은 것을 입고 있어서 표정은 보이지 않았다. 안나는 말없이 채널을 돌렸다. 약을 챙겨 먹고 가끔 병원에 가는 것을 제외하면 생활에 큰 변화는 없었다. 우리는 공장에서 돌아와 씻고 밥을 먹고 눕거나 엎드려 이야기를 나누다 잠들었다. 핸드폰 게임을 하고, 어깨를 맞대고 엎드려 세계를 구한 대가로 자기 자신은 사라져 버리는 마법 소녀 애니메이션을 봤다. 하고 싶은 게 없느냐고 묻자 안나는 바다에 가고 싶다고 했다. 바다가 접근 금지 구역이 된 것도 오래 전의 일이었다. 모래사장에 설치된 높다란 방파제는 바다를 보호하기 위한 거였다. 우리는 어디로 떠나는 대신 구글맵을 켰다. 마우스로 지도의 화살표를 계속 누르면 가고 싶은 곳까지 갈 수 있었다. 살아 있는 것의 흔적은 조금도 없었다. 페트병이나 캔, 스티로폼, 플라스틱과 비닐로 이루어진 쓰레기 산은 멀리서 보면 예술 작품 같기도 했다. 인적이 없고, 넓고, 끝이 없는 회색의 땅들을 한참 누비고 있자면 어느새 세상에 이 방만 남은 것처럼 느껴졌다. 나는 안나에게 무너지듯 몸을 기댔다. 안나는 무겁다고 하면서도 머리를 받쳐 주었다.

주말에는 함께 장을 보러 갔다. 한참 동안 카트를 밀고 다니며 통조림과 시리얼, 맥주, 과자 따위를 카트에 담았다. 간편식이나 레토르트가 대부분이었다. 어차피 공장에서 도시락과 간식을 제공받으니 굳이 요리를 할 필요가 없는 탓이기도 했다. 계산대로 카트를 미는데 안나가 아무래도 안 되겠던지 소매를 잡아끌었다.

토마토도 먹자.

좀 심했지?

나는 머쓱하게 웃으며 카트의 방향을 돌렸다. 신선식품의 가격은 날로 뛰었다. 일반 토마토와 유기농 토마토는 전혀 다른 가판대에 진열되어 있었다. 유기농은 크기가 좀 더 작았다. 가격은 네 배가 비쌌다. 농약을 비롯한 화학 물질에 대한 노출을 최소한으로 한 토마토는 유통 기한도 훨씬 짧았다. 일을 마치고 돌아오면 우리는 거의 쓰러지듯 침대에 누웠다. 토마토를 먹을 여유 따위는 없었다.

그래도 하나는 좋은 걸 먹어야지.

우리는 토마토를 집었다가 내려 두길 반복하며 카트를 밀고 가판대 사이를 오갔다. 손목에 찬 스마트워치가 연신 진동했다. 포인트가 올라가고 있다는 뜻이었다. 시간을 헛되이 보내고 있는 것은 아니었다.

토마토 하나를 유기농으로 먹은들 뭐가 크게 달라지지는 않을 거야, 그렇지?

그러나 안나는 결국 마지막에는 그렇게 말했다. 안나가 아프다는 사실을 알게 된 뒤로, 적어도 일주일에 한 번쯤은 유기농을 먹자고 결심했으면서도, 나는 늘 머뭇거리다 안나의 말을 따랐다.

내내 공장에 서 있어야 했으므로, 한번 외출할 때 우리는 걸을 수 있는 만큼 걸었다. 건강을 위해서이기도 했지만, 포인트를 위해서이기도 했다. 그러나 어느 날부턴가 안나는 포인트 블록을 벗어나 자꾸 구단지로 내 팔을 이끌었다. 환경 문제는 조금도 고려하지 않은 구단지 아파트들은 사람들도 오가지 않아 스산하고 흉흉했다. 친환경 소비 만능주의 타도, 뭐 그런 게 적혀 있을 플래카드가 머리 위에서 펄럭거렸다. 이 근방은 거의 방치된 것이나 다름없어 범죄율도 높았다. 처음에는 불안했지만 손을 꼭 맞잡은 채 가로등조차 없는 구단지를 가로지르고 있자니 꼭 우리가 헤매던 지도 안에 들어와 있는 기분이었다. 깍지 낀 손에 좀 더 힘을 주었다. 부서진 벽돌 같은 것이 자꾸 발에 차였다. 무너지고 흩어진 잔해들은 이곳에 살던 사람들의 삶에 대해 조금도 알려 주지 않았다. 목적지가 있는 듯, 안나는 그 무엇도 돌아보지 않고 부지런히 움직였다. 한동안 서로의 숨소리를 들으며 걸었다.

어렸을 때, 사탕인 줄 알고 방부제를 먹은 적이 있다.

안나가 침묵을 깼다. 내게도 그런 기억이 있었다. 자그마한 봉지에 들어 있던 동그란 방부제와 제습제 알갱이들은 투명하고 반짝였고 단맛이 날 것 같았다. 어디에나 들어 있어서 구하기도 쉬웠다. 막 뜯어서 입에 넣으려던 찰나 엄마에게 크게 혼이 나 먹으면 안 되는 것도 있다는 걸 알게 됐다. 모르는 새 먹어 버린 것도 있을 터였다. 내가 치약인 줄 알고 폼 클렌저로 양치한 얘기를 했더니 안나가 웃음을 터트렸다. 자기는 술에 몹시 취해서 콜라인 줄 알고 간장을 마신 적이 있다고 했다. 불이 붙어 물건을 착각해 일어난 실수들을 하나씩 얘기하다 정신을 차려 보니 우리는 자기가 더 바보라고 주장하고 있었다. 그 사이 대체 얼마나 걸었는지 한참 안쪽으로 들어와 있었다. 어느 아파트 뒤쪽이었다. 부수다 말았는지 건물은 거의 무너지고 헐어 3층 높이에서 끊겨 있었다. 철근이 앙상하게 드러난 상태였고, 아스팔트도 반쯤 뜯겨 나간 채였다. 발밑으로 느껴지는 낯선 감각에 나도 모르게 아래를 내려다보았다. 안나는 신발 끝으로 흙을 밀고 있었다. 흙이라니. 이런 상태의 땅은 아주 어릴 적 이후로 처음이었다. 처음부터 여기 올 계획이었다는 듯, 안나는 태연해 보였다.

이런 데를 어떻게 알았어?

병주한테 물어봤는데, 여기는 당분간 이대로 둔대.

왜?

공사가 중지됐나 봐.

차마 만질 용기는 없어서 발끝으로 흙을 문댔다. 부드럽게 파여 들어갔다. 그 너그럽고 다정한 감각에 나는 깜짝 놀랐다. 신식으로 다시 짓고 포인트 블록을 깔면 이 흙도 완벽하게 덮힐 터였다. 인간이 닿지 못하도록. 흙에 대해서는 잘 알지도 못하면서 내가 흙을 그리워하고 있다는 사실이 우스웠다. 안나는 뭔가 딴생각을 하는 것 같았다. 흙이 부서지고 흩어지는 감촉이 좋아서 나는 발 장난을 계속했다.

널 떠나고 싶지 않아.

그때, 안나가 축축한 목소리로 말했다. 이 순간에 이런 얘기는 하고 싶지 않았다.

떠나지 마.

단호한 말에 돌아오는 대답은 없었다.

무슨 생각해?

너에게 내가 쓰레기로 남는 건 싫어.

그렇게 생각해 본 적은 한 번도 없었다. 너는 쓰레기가 아니야. 그렇게 말하고 싶었다. 그렇게 말하면 될 일이었다. 왜 목소리가 나오지 않는 건지, 스스로도 이해할 수 없었다. 안나에게 뻗으려던 손끝을 물끄러미 쳐다보았다.

있잖아, 여리야.

갑자기 안나가 내 이름을 불렀다. 금방이라도 사라져 버릴 것 같은, 은근한 조바심이 섞인 목소리였다. 뭔가를 예감하게 만드는 목소리였다. 어쩐지 속이 울렁거렸다. 응, 간신히 고개를 끄덕였다.

나를 묻어 줘.

대답하지 못한 것은 순전히 놀랐기 때문이었다. 분명 명청한 표정을 짓고 있을 터였다. 안나가 이렇게 비상식적이고 이기적인 말을 할 거라고는 상상도 못했다. 그런 욕망이 어디서 나왔는지도 알 수 없었다. 어디서 그런 욕심이 생겼어? 그게 무슨 의미인 줄은 알아? 어째서 그런 터무니없는 생각을 하게 된 거야?

네가 나를 생각했으면 해. 잊지 않았으면. 찾아왔으면. 기억해 줬으면.

안나가 내 뺨을 쓸었다. 그런 식으로 말하는 건 비겁했다. 감옥에 가라는 말이야? 그 말은 입 밖으로 나오지 않았다. 너무나 거칠고 여윈 얼굴을 보며 나는 그냥 안나에게 입을 맞췄다. 다음 날에 신발장에는 모종삽이 올라와 있었다.

일하는 내내 모란은 나를 외면했다. 점심도 따로 먹었다. 가끔 시선이 느껴졌지만 고개를 들면 모란은 다른 곳을 보고 있었다. 혼자 감당하기 어렵다고 억지로 가담시키는 게 비열하다는 건 잘 알고 있었다. 이런 일에 공범자가 되기를 강요할 수는 없었다. 불법이고. 지구를 망치는 일이고. 지구에는 아직 50억의 사람이 있고. 그들에게도 생활이 있는데. 누군가 정말 아프게 될지도, 죽게 될지도 모르는데. 정말로 물리적으로 발밑이 좁아지는 것인데. 모르고 하는 일도 아니고, 완전히 의도를 가지고 하는 일인데. 이미 죽은 안나 하나만을 위해. 어쩌면 내 마음이 편하자고. 그러나, 다들 그렇게 살았잖아. 안나가 아직 누워 있잖아. 그 애의 마지막 소원이었다. 집에 돌아오자마자 10시에 알람을

맞추고 자리에 누웠다. 선잠에 들자 관을 블록처럼 쌓는 꿈을 꿨다. 전부 내가 만든 것이었다. 이 어딘가에 안나가 있을 텐데, 하면서도 손을 멈출 수가 없었다. 나를 둘러싼 블록은 점점 더 높아졌다. 제대로 자지도 못했는데 알람이 울렸다. 혼자서는 기민하게 움직여야 했다. 장소라고 한다면, 구단지의 그곳이었다. 나와 안나가, 종종 산책을 가서 발끝으로 흙을 헤집어 놓곤 했던. 터지고 부서진 아파트 뒤쪽의 부드러운 땅. 햇빛이 들지는 않지만, 다른 곳보다 조금 더 따뜻하게 느껴지는 곳. 잔열이 오래 머무는 곳. 특별한 의미가 있는 것이 아니라, 들키지 않고 땅을 팔 수 있을 만한 곳은 거기밖에 없었다. 체한 것 같은 기분으로 집을 나섰다. 에코피아는 어둠에 잠겨 있었다.

환상의 커플이네.

갑자기 들려오는 빈정거리는 목소리에 흠칫 어깨가 튀었다. 고개를 돌리자 화난 표정의 모란이 거기 서 있었다.

모란?

착각하지 마. 네 같잖은 협박 때문이 아니라 안나 때문이니까.

병주는,

걘 내가 하자는 건 뭐든 다 해. 몰라. 오늘 밤엔 일해.

앞장서라는 듯 모란이 턱짓을 했다. 못마땅한 얼굴이었지만 신고하려는 것처럼 보이지는 않았다. 어쩐지 목이 메는 기분이었다. 구단지로 가는 내내 아무런 말도 오가지 않았다. 안나 없이 찾아가는 건 처음이었다. 몇 번이나 헤맨 끝에 아파트 뒤편으로 가자 나와 안나가 발로 헤집은 작은 구덩이가 나타났다. 슬쩍 파여 있는 것을 보고 모란이 눈을 굴렸다. 괜찮을까. 정말 괜찮은 걸까. 하지만 구덩이가 나타난 이상 어쩔 수 없었다. 내가 가방에서 모종삽을 꺼내자 모란이 어이 없다는 듯 웃었다. 흙에 삽 끝이 들어가는 느낌은 여전히 부드러웠다. 한참을 파냈지만 모종삽으로는 기껏해야 세숫대야만큼밖에 팔 수 없었다. 모란은 여전히 내키지 않는다는 듯 내 움직임을 물끄러미 바라보고만 있었다.

그때 깡, 하는 소리가 울리며 삽 끝에 뭔가가 부딪혔다. 나는 힐끔 모란을 쳐다보고 조금 더 땅을 파내려 갔다. 자그마한 보석함이 묻혀 있었다. 여기저기 흙이 묻은 데다 군데군데 녹이 슬어 전체적으로 붉은 기가 감도는 상자였다. 싸구려 큐빅은 빛을 잃어 탁했다. 20~30년은 된 것 같았다. 그제야 모란이 관심을 보이며 다가왔다.

뭐야?

보석함 같아.

안 잠겨 있는 것 같은데.

확실히 그랬다. 선뜻 열어도 되는 것인지 확신이 서지 않아 상자를 가만히 매만졌다. 어디에나 사람들의 흔적이 있었다. 감당할 수 없는 것을 발견하게 되고 싶지는 않았다. 이미 죄책감은 충분했다. 모란이 상자를 뺏어 들었다.

열어 볼까?

대답하기도 전에 모란의 손은 상자를 열고 있었다. 안에 있던 발레리나가 음악에 맞춰 빙글빙글 돌아갔다. 바흐의 3번 미뉴에트는 점심시간에 공장에서 나오는 노래였다. 음이 반음씩 튀어 기괴한 느낌을 주었다. 안에 들어 있는 것은 별게 아니었다. 밀봉되어 있는 크기가 제각각인 편지 봉투와 사진, 압화로 만든 책갈피, 반지, 그리고 접힌 종이가 다였다.

타임캡슐인가 봐.

시시해.

모란은 상자를 내게 떠밀었다.

왜 다시 찾으러 오지 않았을까?

죽었나 보지.

모란은 어깨를 으쓱이며 떨어진 모종삽을 주워 땅을 파기 시작했다. 나는 반쯤 삭은 사진을 꺼내 물끄러미 들여다보았다. 색이 많이 바래 얼굴을 제대로 알아볼 수가 없었다. 편지를 훔쳐보는 것은 어쩐지 죄책감이 들었지만 접혀 있는 쪽지는 궁금했다. 볼륨감이 있었고, 어쨌든 편지가 따로 있으니까 개인적인 용도는 아닐 것 같았다. 안에 오돌토돌한 것이 만져졌고 몹시 가벼웠다. 조심스럽게 펼치자 크기가 다양한 흑갈색의 알갱이들이 나왔다. 떨어뜨리지 않기 위해 종이를 둥글게 말자 모란이 뭘 그렇게 조심하냐는 듯 고개를 들었다.

씨앗이네.

손에 닿지 않게 조심하면서 그것을 다시 원래대로 접어 주머니에 넣었다. 모란의 눈이 내 손끝으로 향했다.

그걸 왜 니가 챙겨.

죽었을 거라며.

변명하듯 중얼거리는 말에 돌아오는 말은 없었다. 누가 어떤 마음으로 씨앗을 이런 곳에 담아 뒀을지 상상할 수 없었다. 집 앞에 놓아 둔 화분이 떠올랐다. 나와 안나는 결국 싹을 틔우지 못했던. 지구에 사는 누구도 아직 틔우지 못한. 한참 땅을 판 모란이 다시 내게 모종삽을 내밀었다. 내가 지치면 모란이 파고, 모란이 지치면 내가 팠다. 어깨와 등이 아파서 부서질 것 같았다. 밤새 팠는데도 내 상반신도 들어가지 않을 것 같았다. 여전히 이게 잘하는 일인 건지 알 수 없었다.

밤을 새우고 공장에 출근하는 것은 처음이었다. 안나가 유해 물질을 내뿜기 전에 해결해야 했다. 누군가 알아채기 전에. 정말로 안나가 아닌 것이 돼 버리기 전에. 그렇게 서로 사랑하고 아꼈는데, 이대로 두면 나를 해칠 거라는 것이 믿어지지 않았다. 온몸이 욱신거렸지만 수상해 보일 수는 없으니 평소처럼 움직이기 위해 노력했다. 공장 앞에 병원 차가 서 있어서 걸음을 멈췄다. 날짜를 헤아려 보니 공장에서 1년마다 하는 건강 검진이었다. 안나는 재작년 이맘때쯤, 저기서 복잡한 이름의 환경 질병을 판정받았다. 모란은 나를 한 번 노려보고 삐딱하게 줄에 합류했다. 손바닥에 물집을 감추기 위해 주먹을 쥐었다. 차례를 지키며 엑스레이를 찍고 소변 검사를 하고 피를 뽑았다. 줄 사이사이에서 마른기침 소리가 새어 나왔다.

숨을 깊게 들이마시고, 내쉬세요.

의사는 내 가슴에 청진기를 댄 채로 말했다. 나는 시키는 대로 했다. 마침내 의사는 청진기를 떼며 건조한 얼굴로 차트에 뭔가를 적었다. 이해할 수 없는 꼬부랑글씨였다.

건강합니다.

건강이라니. 그건 그냥, 내가 아직 쓰레기가 되지 않았을 뿐이라는 의미가 아닐까. 반쯤 마신 페트병처럼. 알고 싶은 건 따로 있었다. 일어나지 않고 머뭇거리자 의사가 고개를 들었다.

끝났는데요.

내가 살아 있나요?

갑작스레 튀어나온 질문에 의사는 무슨 엉뚱한 소리를 하느냐는 듯한 표정이었다.

심장은 확실히 뛰고 있어요.

내가 원하는 건 그런 대답이 아니었다. 나는 인간인가요? 그것은 무엇으로 증명할 수 있죠? 인간은 이럴 때 어떻게 하죠? 더 나은 것을 선택할 수 있어서 인간이라면, 내가 어떻게 해야, 온갖 질문이 목 끝까지 차올랐지만 끝내 입 밖으로 나오지 않았다. 그저 침을 삼켰다. 여전히 일어나지 않는 나를 보고 의사는 한숨을 삼키며 차트를 뒤집었다. 축객령이었다. 간호사가 등 뒤에서 문을 열어 주었다.

그날 밤, 나와 모란은 다시 구단지에서 만났다. 얼떨떨해하는 나를 보고 한숨과 함께 모란이 꺼낸 것은 모종삽이었다. 우리는 마주 보고 허탈하게 웃었다. 처음에는 수월했지만 파내려 갈수록 땅은 더 단단해졌다. 밤새 말없이 일했다. 어느새 한 사람을 묻을 수 있을 만큼의 깊이가 됐다. 우리는 구덩이를 한참 내려다보았다. 어디선가 바람이 불어와 몸이 차갑게 식었다. 어제 입은 운동복을 그대로 입고 있었으므로, 주머니에서 우둘투둘한 것이 자꾸 만져졌다. 종이에 싸인 씨앗들일 터였다. 안나. 지구. 구덩이. 씨앗. 이런 식으로 저울에 올려서는 안 되었다.

침 뱉었어?

모란이 나를 쳐다보는 것이 느껴졌다. 나는 돌아보지는 않았다.

그 개새끼 얼굴에, 침을 뱉었어?

모란이 고갯짓을 하는 기척이 느껴졌다. 돌아오는 길은 고요했다. 우리는 A동 앞에서 헤어졌다. 평상에는 이미 복자가 앉아 있었다. 복자는 흙투성이가 된 나를 물끄러미 보고도 아무런 말도 하지 않았다. 주춤거리며 다가가 복자의 옆에 앉았다. 안나. 지구. 구덩이. 씨앗. 통증은 내가 살아 있다는 사실을 선명하게 상기시켰다. 그렇게 한참을 복자의 곁에 앉아 있었다. 자꾸만 꿈에 나온다는 조상에 대해 뭐라도 말해 주길 바랐지만, 복자는 입을 열지 않았다. 나는 계속 살아가야 했다.

해가 뜨지 않네요.

좀처럼 뜨지 않지.

복자의 중얼거림을 들으며, 자리에서 일어났다. 찾아갈 곳, 돌아갈 곳, 나에게는 필요했다, 그게.

그게, 안나가 남긴 유언이었다.

배명훈

2005년 SF 공모전에 단편 소설 「스마트 D」가 당선되며 작품 활동을 시작했다. 소설집 『예술과 중력가속도』, 『타워』, 『안녕, 인공존재!』, 장편 소설 『첫숨』, 『고고심령학자』, 『빙글빙글 우주군』, 에세이 『SF 작가입니다』 등을 썼다. 대산문학상, 젊은작가상을 수상했다.

조개를 읽어요

"교수? 영감님이? 자기가 그래? 그럴 리가 없는데. 우리는 그냥 선생님이라고만 불렀는데. 아, 이 나이에 내가 선생님이라고 부르는 거 보고 어느 학교 선생님일까 고민하다가 교수쯤 될 거라고 생각했구나. 글쎄. 교수라. 내가 모르는 사이에 어디 가서 학위라도 따 왔나? 모르긴 해도 저 양반 어디 한군데 머물러 있는 꼴을 못 봤는데 그런 직함을 가질 수 있을까? 응? 맞아. 응. 글쎄, 나도 그게 궁금하긴 해. 세미나 간다 그러면서 한 번씩 어딘가 갔다 오기는 하는데, 무슨 세미나에 가서 무슨 이야기를 할 게 있다고 그렇게 나다니나 몰라.

아무튼, 영감님을 어떻게 만나게 됐냐고 물었지? 그냥, 한국에서 만났어. 우리 동네에 조개 무덤이 있었거든. 신석기 시대 조개 무덤. 우리야 뭐 맨날 다니면서 봐도 아무 느낌이 없었지만 그 동네 대학 고고학과 이런 데서는 되게 좋아하는, 그런 데가 있었어. 맨날, 봄에 꽃 피고 그러면 학생들까지 우르르 몰려와 가지고 뭘 해 먹는 데. 나중에

축젠가 뭔가 한다고 플래카드 붙여 놓고 동네 사람들한테 뭐 파는 거 보니까 걔들이 해 먹던 게 그게 신석기 시대 요리였는데.

그래, 그렇다니까. 그걸 어떻게 하는 거냐 하면은, 일단 돌을 이렇게 둥그렇게 쌓아요. 좀 높게 이렇게 쌓아 가지고, 그 밑에다가 이제 불 땔 걸 주워서 넣는 거지. 그다음이 중요한데, 해 보면 알겠지만 돌을 그렇게 둥글게 쌓아 놓으면 냄비를 걸치기가 힘들어. 걔들 비결이 뭐냐 하면은, 빗살무늬 토기를 쓰는 거지.

그거 알아, 빗살무늬 토기? 옆에 이렇게 조악하게 빗금무늬 있고, 아래쪽이 이렇게 뾰족하게 튀어나온 거. 어렸을 때 화장실 때문에 그 옆 박물관에 들락거리다가 몇 번 봤는데, 그런 생각밖에 안 들데. '저렇게 생겨 먹은 그릇은 어떻게 세워 놓고 쓰는 거야? 뒤집어서 뚜껑으로 쓰는 거야?' 그런데 그때 보니까 빗살무늬 토기 밑바닥이 왜 그렇게 뾰족하게 생겼는지 알겠더라고.

그런데 무슨 이야기를 하고 있었더라?

아, 영감님 처음 만났을 때. 그래, 거기가 그런 데였어. 대학 고고학과 학생들이 신석기식으로 조개 삶아 먹고 소주도 퍼마시고 하는 데였는데, 스무 살 갓 됐을 때였지. 어느 날 내가 거기를 지나가고 있는데, 우리 동네니까, 그런데 어떤 시커멓게 생긴 사람이 거기를 이렇게 기웃거려. 영감님이 좀 수상하게 생겼잖아 왜. 그 양반은 왜 그렇게 사람이 수상하게 구는지 몰라. 지난번에 영국 가서도 왜, 혼자 검문당하고 그랬어. 아무튼 교수는 못해 먹을 양반이라니까.

하여간 내가 이렇게 빤히 쳐다봤지. 그때만 해도 외국인이라는 게 많이는 안 보였거든. 서양 사람만 외국인으로 쳐줘서 그랬겠지만. 우리 동네에서 버스를 타고 이렇게 가면은 그쪽에 공단이 이렇게 있었다고. 공단은 있는데, 동네 사람들 중에 공장에서 일한다는 사람은 하나도 없었거든. 그럼 그 공장 다 누가 돌려? 기계로 돌리면 좋겠지만, 그 기계 살 돈 있으면 공장 건물 페인트칠이라도 한번 단체로 싹 해줬으면 좋겠다 싶은 생각이 우선 들데. 동남아 쪽에서 온 사람들이 많았을 거야. 우리는 어려서 잘 몰랐지만.

아, 영감님? 물론 인도 사람이지. 인도 사람이거나 말거나 내가 어떻게 알아, 그 나이에? 그냥 수상하게 생긴 사람이 거기를 왔다 갔다 하는데, 뭘 그렇게 또 열심히 적어. 희한하잖아. 조개 삶아 먹는 거 말고는 신기한 게 나올 일이 하나도 없는 덴데. 그래서 그 양반을 빤히 쳐다봤지. 내가 보고 있으니까 신경이 쓰이는지 쭈뼛쭈뼛하더라고. 신경은 쓰이는데 어차피 말도 잘 안 통하고 그러니까 꺼지라는 말은 안 하데. 그래 내가 가만히 보고 있으니까 이 양반이 그 조개 무덤에서 조개를 쪼끄만 삽으로 퍼다가 흰 전지 위에 뿌려 놓고 사진을 찍더니만 뭘 또 열심히 적고 그래. 지금이야 그게 채집인 줄 알지만, 그때는 그래도 거기가 문화잰가 뭔가 그런 건데 말이야, 어디서 이상한 외국인이 와서 그러고 있으니까, 어, 저거 저러고 있어도 되나 싶은 거야. 그래서 결국에 내가 뜯어말렸지. 간첩인 줄 알고.

뭐라 그러긴 뭐라 그래. 나도 영어가 짧아서 긴 말은 못하고, 노! 그랬지. 그랬더니 그 양반, 처음에는 아주 들은 척도 안 하고 있더니만 내가 계속 노, 노 그러니까 와서 뭐라 그러긴 하데. 그런데 이게 참. 나는 영어가 짧지, 그 양반은 또 가뜩이나 여기 인도 발음으로 말하지, 이건 뭐, 알아먹을 수가 있어야지. 딱 그런 생각이 드는 거야. 아, 도망가야겠다.

몰라, 그냥 그 나이 때는 다 그러지 않아? 일단 도망부터 가고 보는 거.

그렇게 마음을 먹고 있는데, 이 양반은 또 말문이 한번 트이고 나니까 놔주지를 않아. 그래서 손짓 발짓 다 해서 설명을 하는데, 아마 모르긴 몰라도 허가받아서 하는 일이라는 뜻이었겠지 뭐. 그렇지 않을까 싶어. 그러거나 말거나 나는 알아들을 재주가 없지. 허가라는 게 필요하다는 걸 알려면 몇 년을 더 살아야 됐으니까. 이 양반이 그 뒤부터 자기가 무슨 일 하고 있는지 아주 땀을 뻘뻘 흘려 가면서 설명을 하는데, 그때 엮인 거야. 처음 만난 날 그렇게 딱 엮여 버렸지.

그 양반이 뭘 보여 줬거든. 조개를 쭉 늘어놓고 찍은 사진이었어. 그 밑에 영어로 설명이 있었고 말이야. 뭐 별건 없었어. 그게 벌써 30년 전인데, 그때만 해도 해석 이론이 완전히 엉터리였다고. '블루,' '블루,' '블루,' '블루'가 한 서른 개쯤 이어져 있고 그 사이에 한 개가 '웨이브'였거든. 말로 하는 영어는 못 알아들어도 우리가 또 왜, 짧은 단어로 툭툭 던지는 영어는 어찌어찌 소통이 되잖아. 띄엄띄엄 귀에 들어오는 단어만 가지고 내 나름대로 설명을 들었지. 지금 생각해 보면 노인네도 꽤 열심이었고. 무슨 설명이었냐면, 그 웨이브 조개하고 블루 조개가 어떻게 다른가 하는 거였거든. 하, 그런데 이게 또 재미가 있어. 그게 그 양반이 나한테 해 준 패류 해석 첫 강의였지.

근데, 내가 그 양반 하는 일에 확 끌렸던 게, 사실 나는 또 나대로 사연이 있었거든. 문제의 그 조개껍데기 말이야. 집에 모셔 놓고 있었거든. 누가 나한테 쓱 내밀고 간 거였는데, 그거 받고는 한참 동안 이게 뭐 하자는 건가 했었으니까.

응. 여자야. 맞아. 하하. 자기도 마음이 있었다는 뜻인가, 아니면 꺼지라는 건가, 결국 그게 관건이었지. 왜 꺼지라는 뜻이냐고? 그거 있잖아. 그리스 도편 추방법. 어디서 그 이야기를 주워듣고는 조개껍데기를 주는 게 꺼지라는 의미인가 했지.

아무튼 글쎄 그 영감 설명을 가만히 듣고 있다 보니까 그게 생각이 딱 난 거야. 벌써 몇 달인가 된 거였는데, 집에 그대로 모셔 놨었거든. 영감님한테 기다리고 있으라고 하고 집에 가서 그걸 가져왔는데, 갔다 와 보니까 이 영감이 어디 가고 없는 거야. 김이 팍 새데. 알아듣기는 알았을 텐데. 내가 '웨이트!' 그랬거든. '웨이트! 히어! 오더!' 그래도 어쩌겠어, 이제는 내가 궁금해 죽겠는데. 기다렸지. 며칠을 죽치고 앉아 있었지. 그러다가 한 5일 만인가, 이 양반이 5일 전에 입고 있던 옷을 그대로 입고 또 나타났지 뭐야. 그런데 더 놀라운 사실이 뭔지 알아? 30년이 지난 바로 어제도 그 옷을 입고 있었다는 거지. 헛허허.

뭐, 같은 옷 입고 다니면 알아보기도 좋고 좋지 뭐. 동네에 인도 사람이 또 있는 건 아니었지만. 하여간 내가 가서 물었지. '왓 이즈 디스?' 하고. 아, 집에 모셔 뒀던 조개껍데기를 내밀면서 말이야. 셸이라고 그러데. 조개껍데기가 맞긴 맞는데 내가 그걸 물은 게 아니잖아.

이건 무슨 의미인가 하고 물어야 되는데, 영어가 짧잖아. '민. 왓. 워드.' 그랬나, 하여튼 뭐라 그랬는데, 이 양반이 그제사 내 손에 있는 걸 받아 들고는 유심히 들여다보는 거야. 눈이 번뜩하더라고. 내가 그 눈 번뜩이는 걸 똑똑히 봤거든. 근데 한참을 들여다보고 있더니 이 양반이 딱 이러는 거야. '아이 돈 노.' 몇 번을 더 물어봐도 자기는 모르겠대. 그럼 어떻게 하면 읽는 방법을 배울 수 있는 거냐고 묻고 싶은데, 그건 또 너무 긴 문장이잖아. 짤막짤막한 영어로 그 말은 도저히 못 하고 '왓 이즈 디스, 왓 이즈 디스.'만 계속하고 있는데, 이 양반이 뭐라고 뭐라고 한참 이야기를 하더니 명함을 꺼내서 나한테 줘. 내가 뭔 소리를 하고 있는 건지 눈치를 챈 거지.

그래서 인도까지 오게 된 거야. 응. 이래 봬도 명함 받고 왔다고. 나도 여기 면접이 그렇게 센 줄은 몰랐는데, 명함 받고 와서 그런지 그냥 받아주데.

하하. 사도는 무슨. 영감님이 무슨 예수야? 명함 던져 준다고 바로 따라나서게. 한 6년 넘게 잘 알아보고 갔어. 군대도 갔다 오고. 영감쟁이, 좀 수상하게 생긴 사람이라야 말이지.

그 사람? 하아, 그 이야기를 해야겠지? 과외 선생님이었어. 은경이 누나라고, 나보다 한 네 살쯤 많았겠지? 아마. 이래 봬도 내가 중학교 때는 수학을 곧잘 했는데, 고등학교 딱 가니까 점수가 바닥으로 내려갔거든. '아직 적응이 안 돼서 그렇습니다, 아버지.' 하고 버텼는데, 웬걸. 7점 받아 봤어? 그것도 80점 만점에 7점. 옆에서 찍은 놈은 15점 나오는데, 열심히 푼다고 앉아 있었던 놈은 7점이 나오니 황당하지 뭐. 그때 우리 담임 선생님 말이, 객관식만 잘 찍어도 기댓값이 17점은 넘는데 거기서 7점 받은 놈은 운명을 거스르는 놈이라고.

첫날, 바닥에 탁자 하나 깔고 마주 앉아서 그 이야기를 해 줬지. 그러니까 이 누나가 쓱 미소를 짓는데, 아, 아무리 거스르려고 해도 피할 수 없는 운명적인 만남이라는 게 이런 거구나 싶데.

미모라. 미모의 여대생이었나. 글쎄. 그보다는, 좀 희한한 사람이었지. 나중에 과외 그만둘 때 다 돼서 한 말이었지만, 자기는 누구한테 수학을 가르칠 수 있을 만큼 수학을 잘해 본 적이 한 번도 없었다는 거야. 아주 얄팍했다는 거지. 실력이 탄로 나면 다음 주에라도 그만둬야지 하고 일단 시작은 해 본 거였대. 그래서 올 때마다 불안불안했다고. 선생과 제자 사이를 가르는 그 얇은 막이 왜 끝까지 안 깨졌냐면은, 순전히 나 때문이었지. 공부하는 데 관심이 별로 없었으니까. 뭐 물어보는 걸 싫어했거든. 내가 뭐 하나만 더 물어보면 자기도 머리를 긁적여야 되는 상황인데, 세상에 거의 2년이 다 되도록 질문이라는 걸 하나도 안 했으니. 그러다 그냥 넘어간 거지. 물어보는 건 싫어했어도 시키는 건 다 했으니까.

누나는, 신비한 데가 있었어. 신기한 데가 있었다고 해야 되나. 어느 날은 갑자기 머리가 막 아파서 과외 못 하겠다고 전화해 놓고 집에 드러누워 있으니까, 오던 길에 연락받은 거라 일단 오기는 왔다고 그러면서 누나가 집에 왔더라고. 머리를 이렇게 짚어 보는 것처럼 하더니, 대뜸 자기를 따라 하라 그러네. 뭐 하는 짓인가 싶으면서도 따라는 했지. 그런 스타일로 살아왔으니까. 체조 비슷한 걸 시키는데, 팔을 뭐 이렇게 꼬고 무릎을 폈다 오므렸다 하면서 왼쪽으로 반 바퀴 돌고 뭐 그런 거. 그걸 열 번을 하고 자라고 그러데. 그러고 누나는 바로 집에 돌아갔고 말이야. 그런데 어땠는지 알아? 그거 열 번을 하고 나니까 진짜로 머리가 안 아파. 하, 신기하다 하면서 잤는데, 다음 날 되니까 바로 까먹어서 그런 일이 있었는지 기억도 안 나더라고. 한참 뒤에 생각해 보니까 그런 일이 있었구나 한 거지. 그때는 그것도 왜 안 물어봤나 몰라. 시키면 시키는 대로, 얄팍하면 얄팍한 대로 그냥 넘어가는 스타일이라. 근데 지금은 그게 참 궁금해. 그 누나는 정체가 뭐였을까.

왜 그러고 살았냐고? 왜 그러고 살았냐면, 행복하잖아. 나는 주는 밥 먹고 조용히 사는 게 제일 좋거든. 어쩌다 내가 여기까지 와서 이 짓을 하고 있는지 모르지만. 에이, 모르긴 뭘 모르겠어, 다 그 영감 때문이지 뭐. 영감쟁이, 나는 여기 와서 한 몇 년 붙어 있으면 말해 줄 줄 알았거든. 누나가 준 조개를 들여다보는 순간 반짝하고 빛나던 그 눈빛 말이야. 알지만 가르쳐 주지는 못하겠다는 그런 눈빛. 그런데 있잖아, 진실이 뭐였는지 알아? 저 수상한 영감탱이! 진짜로 몰랐던 거야. 작년엔가 그러더라고. 그때는 진짜로 몰랐다고. 하.

하여튼 영어 좀 할 줄 아는 인도 사람이 다 그렇지 뭐. 그런 영감들 때문에 착하게 잘 사는 사람들이 욕을 먹는다니까. 하도 어이가 없어서 내가 물어봤거든. 그때 그 눈빛은 뭐냐고. 아주 딱 잡아떼는 거 있지. 하긴 내가 잘못 본 건지도 몰라. 여기 사람들 눈 좀 봐봐. 큼지막해 가지고 그냥 아무렇지도 않게 쳐다만 봐도 빤히 쳐다보는 것 같잖

아. 그냥 그 눈에 속았던 게야.

아이구, 저 소 눈 좀 봐라. 나는 여기 처음 와서 저 소들이 제일 신기했어. 도로로 가다가 뒤에서 차가 빵빵거리면 갓길로 삭 비켜서는 거. 쟤들이, 아침에 저렇게 풀어놓으면 해질 때까지 해변에서 뭐 주워 먹고 놀다가 나중에 해 빠지면 줄지어서 집으로 찾아 들어가. 그거 본 적 있어? 무슨 개 키우듯이 소 키우는 거.

오늘도 꽤 덥네. 저 서양 관광객들 말이야. 뭐가 좋다고 저렇게 살을 벌겋게 태우고 있는지 몰라. 살도 좀 적당히 태워야지. 저렇게 소시지 색깔이 되도록 태워 먹고 있는 거 보면 내가 다 근질근질해. 어이구, 저거 저거 피부 다 상할 텐데. 하하. 영어 잘하면 가서 제발 제때 제때 좀 뒤집으라고 말 좀 해 줘.

아무튼 그런 좋은 시절이 있었다고. 덕분에 수학 점수는 40점대까지 올랐어. 나중에는 60점까지 간 적도 있었지만, 더 좋아지지는 않데. 40점이나 7점이나 그게 그거지 뭐. 지금 생각하면 그게 뭐 그렇게 중요한 일이었나 싶어.

그 당시에 내가 용돈이 한 달에 만 오천 원인가 그랬는데, 그중에 오천 원은 다 누나가 가져갔어. 시험 볼 때마다 점수 가지고 내기를 했거든. 분명히 내 쪽이 남는 장사가 될 수 있는 소지가 있었어. 나는 65점을 넘기면 오만 원을 받게 돼 있었으니까. 물론 평생 구경도 못 해 본 점수이기는 하지.

누나가 왜 그렇게 좋았냐고? 하하, 글쎄, 그 왼쪽 눈에 있는 네 겹짜리 쌍꺼풀 때문인가. 그때는 그걸 갖고 그렇게 놀려 댔는데, 지금 누나 얼굴을 떠올리면 그게 제일 먼저 떠올라. 그러면 진짜 숨이 턱 막히는 거 있지. 첫눈에 반해 본 적 있어? 요즘은 그런 거 안 믿지? 근데 그걸 어떻게 더 설명하냐고. 그냥, 그 순간에는, 아, 내가 왜 이 사람이 세상에 존재한다는 사실을 아직도 모르고 있었을까 하는 생각밖에 안 들어. 다행이라는 생각도 들고.

누나는, 그런 이야기를 해 주곤 했어. 돌아갈 데가 있다고. 언제든 거기서 자기를 부르면 돌아가야 한다고 그랬지. 이 세상에서 그렇게 버티고 있는 게 자기한테는 그렇게 괴로운 일이었대. 그런데 이제 와서 다시 생각해 보면 그렇게 싫은 일은 아니었던 것 같다고. 그러고는 이런저런 이야기들을 해 줬는데, 떠나온 곳에 대한 이야기 같은 거 말이야. 몰라, 추상적인 이야기들이라 나야 정확히 어디를 말하는 건지는 추측이 잘 안 돼. 그보다는 그게 걱정이었거든. 곧 세상을 떠날 사람처럼 말하고 있다는 게. 응. 자살하려고 하는 사람을 보고 있는 것 같은 느낌 말이야. 그래서 누나를 좋아했다 그러면 이상하지? 그냥, 내가 좀 멍청했던 것 같아. 그냥 그 신비한 느낌이 끌렸던 거겠지.

그런데 누나는 나를 어떻게 생각하고 있었을까. 어땠을 것 같애? 멍청하다고 생각했겠지 뭐. 아무튼 누나도 나를 꽤 귀여워해 줬어. 말 잘 듣는 학생이었잖아. 그러던 어느 날이었어. 갑자기, 이제 과외를 그만둬야 할 것 같다고 그러더라고. 이유는 자세하게 말 안 했어. 그냥 어디로 가게 돼서 그만둔다고만 했지. 나한테 말고 우리 부모님들한테. 그걸 듣고 있자니 철렁하고 뭔가 내려앉는 느낌이 드는 거 있지. 그러고 나서 일주일 동안 내내 가슴이 답답한 게 숨이 막히는 거야. 이제 마지막이라는 생각이 들었어. 그거 알아? 숨이 막히는 느낌이라는 거. 진짜로, 물리적으로 숨이 막히는 것 같은 느낌이 들어. 사람들이 왜 그 느낌을 숨 막히는 기분이라고 표현하는지 알겠더라니까.

그러고 일주일이 지나고 난 어느 날이었어. 비가 내리고 있었거든. 나는 방구석에 틀어박혀서 두통 해소 체조를 하느라 몸을 뒤틀고 있었어. 엄마가 내 방에 오더니, 은경이가 보러 왔다고, 누나가 왔다고 그러는 거야. 나는 쪼르르 달려 나갔어. 누나도 참, 미리 말이나 하고 왔으면 머리라도 감고 있었지. 갑자기 들이닥치는 바람에 마지막으로 해 줄 말 한마디도 준비를 못 했지 뭐야. 정말 아무 말 안 하고 현관을 막고 서 있었지. 안으로 못 들어오게 막고 있기라도 한 것처럼 말이야.

이미 길을 나섰던 건지, 누나는 커다란 여행 가방을 옆에 세워 놓고 물이 뚝뚝 흐르는 우산을 만지작거리면서 곧 가야 한다고 말했어. 힘없이 웃으면서. 나는 그냥, 알았다고 대답했지. 멍청한 데다 숫기 없는 고등학생이었거든. 너무 아무렇지도 않은 것처럼 보이고 싶지는 않았는데, 준비한 게 없었으니까 아무 말도 못 하겠는 거야. 누나도 그 한마디 말고는 아무 말도 안 했고. 누나의 정체는 대체 뭐였을까? 물어보지도 못했는데, 누나는 그 조개껍데기만 내 손에 꼭 쥐여 주고는 그대로 떠나 버렸어.

하아, 한심하지? 그 뒤로는 소식을 몰라. 완전히 사라져 버렸으니까. 과외 자리 소개해 준 아줌마 말로는 자기 딸하고도 소식이 끊겼다고.

에? 이 일이 후회되지 않냐고? 왜? 아. 첫사랑의 추억 같은 것 때문에 이런 일을 택하게 돼서? 하하. 낭만적으로 보이기는 하지만, 실제로는 안 그래. 그 영감을 그렇게 만나서 그렇지, 꽤 오랫동안 알아보고 정한 일이거든. 그런 낭만적인 동기 때문에 시작한 일이 아니라.

이것 봐. 얼마나 멋지냐고. 아라비아해를 따라 넓게 펼쳐져 있는 이 모래밭이 내 일터라고. 여기 얼마나 좋아. 낙원이 따로 있나. 동네 어디를 가도 파도 소리가 들려. 평소에는 딴생각하느라 못 느끼지만, 들으려고 마음만 먹으면 동네 어디서나 파도 소리를 들을 수 있잖아. 무슨 삶의 진리를 깨닫는 순간 같지 않아? 그런 쪽에 관심 없나? 보기보다 속물인데. 흠. 그럼 이건 어때? 킹 피셔 맥주! 해변 카페에 앉아서 끝내주는 맥주 한 병을 마시는 데 우리 돈으로 오백 원!

어? 그것도 싫어? 까다로운 분이셨구만. 그럼 그냥 일 이야기나 해야 되나? 에이. 에이.

조개들은 말이야. 딱 한마디 말만 해. 태어나서 평생 죽을 때까지 딱 한마디만 하는 거야. 여기 봐. 조개껍데기를 보면 이 안쪽에서부터 점점 몸집이 커지면서 자라 온 흔적이 보이지? 나이테같이 생긴 이거. 그런데, 세월이 흐른 흔적 자체는 담아낼 수 있어도 하던 말을 바꿀 수 있는 놈은 드물어. 어렸을 때 한번 '파랗다'고 말하기로 마음을 먹고 그렇게 말하기 시작하면 죽는 순간까지 다른 말은 못 해. 혹시 나중에 시커면 물속에서 살게 되더리도 계속해서 파랗나는 말 한마디만 할 수 있는 거지.

물론, 두 마디를 남긴 놈도 있긴 해. 경력이 영감님쯤 되면 한두 개는 갖게 되거든. 그런데 그런 건 손톱만 한 놈도 3억은 해. 그만큼 드물거든.

딱 한마디만 남기는 거지만, 세상에 조개가 얼마나 많이 있었겠어? 그 조개들 다 합치면 진짜 엄청나게 많은 이야기를 담고 있을 거야. 조개 하나하나가 다 하나씩의 목소리를 내고 있는 거거든. 아, 물론, 대부분 아무 별 의미 없는 것들이지만. 하하. 쓰나미 때 태어난 조개들 얼마나 웃긴지 알아? 전에 인도네시아 정부에서 의뢰해서 영감님따라 채집하러 간 적이 있었는데, 결과가 이래.

어어. 어어. 어어. 어어. 밀려. 밀려. 밀려. 밀려. 어어. 밀려. 어어. 밀려. 나도. 나도. 나도. 나도. 나도. 나도. 나도. 나도. 나도. 나도. 나도. 어어. 어어. 어어. 밀려. 어어. 어어. 나도. 나도. 나도. 나도. 나도. 나도. 어어. 어어. 어어. 나도. 어어. 떠올라. 떠올라. 나도. 나도. 나도. 나도. 나도. 나도. 나도. 나도. 나도. 나도. 나도. 나도. 나도. 부딪혔어. 부딪혔어. 부딪혔어. 나도. 나도. 나도. 나도. 너도? 너도? 너도? 너도? 나도. 나도. 나도. 나도. 밀려. 밀려. 떠올라. 떠올라. 떠올라. 졸려. 어어. 어어. 어어. 어어.

그런데 아직도 잘 이해가 안 가는 건, 조개를 읽는 방법이 어디에서부터 왔느냐 하는 거야. 인도 사람들도 자기네가 원조라고는 하는데, 사실 이 전통이 언제부터 있었는지 모르는 것 같더라고. 신화 같은 데

보면 세상이 만들어지는 순간부터 조개를 읽는 능력이 신에게 있었다는 것 같은데, 그거야 알 수 없는 소리고, 외계인이 주고 갔다는 사람도 있고 뭐 그래.

솔직히 나도 몇십 년째 이거 채집하고 다니고 있지만 어휘나 문법쪽 하는 이론가들 이야기 들어 보면, 어이쿠, 뭐 평균 아이큐가 170이라나 뭐라나. 내 알 바 아니고, 아무튼 이건, 한번 알아내기만 하면 신석기 시대나 중생대 같은 시대에도 똑같은 문법을 적용할 수 있는 언어라서 알고 보면 꽤 유용한 지식이거든. 그렇지 않겠어? 절대 유행을 안 타는 지식이라니.

재밌어. 이 일이 좋아. 큰 욕심 같은 건 버리게 돼. 물론 이 일 하는 사람들 중에는 야심이 대단한 사람들도 있어. 조개가 지구보다 늦게 만들어졌다는 사실을 몰랐던 고대에는, 세계가 창조되는 순간에 '창조다!'라고 말한 조개가 분명히 있을 거라고 믿기도 했나 봐. 그래서 그걸 찾으려고 온 세상 바닷가를 헤매고 다니는 성자들도 있었지. 요즘도 그래. 해빙기가 시작되는 시절에, 빙하가 쪼개지는 순간에 태어난 조개 30만 개 세트 같은 건 진짜 어마어마한 가격에 팔렸거든. 비키니섬 핵 실험 때 근처 바다에서 태어난 애들 같은. 이런 조개들이었지.

뭐야? 뭐야? 뭐야? 뭐야? 뭐야. 아야. 아야. 아야. 아야. 나도. 나도. 나도. 아야. 나도.

어느 업자가 그걸 2만 개 세트로 만들어서 팔았는데, 히로시마 원폭 박물관에서 무지하게 큰 돈을 주고 사 갔다고. 하여간 그 인간들.

희귀한 문법으로 희귀한 문장을 구사하는 비싼 조개를 찾으러 다니는 사람들도 많아. 딱 한마디만 던질 수 있는 건데도, 주변의 둘러싼 문맥을 잘 찾아보면 복잡한 그림 문자 한 글자처럼 꽤 긴 의미를 읽어 낼 수 있거든. 그 유명한 '떠났다' 조개처럼 말이야. 조개는 단순하게 '떠났다'는 말 한마디만 던지고 있지만, 해석가들은 그게 정확히 뭐가 어디를 떠나는 순간을 묘사하고 있는 건지 알아낼 수 있어요. 조개는 그냥 파랗다고만 말해도, '하늘이 파랗다'로 새기는 글자가 있고, '바다가 파랗다'고 새기는 글자가 따로 있듯이. 얘들 입장에서야 분명히 한 글자에 해당하는 단순한 표현이었겠지만 그걸 또 사람의 말로 바꿔 보면 뜻이 길어지는 거라. 그래서 이 '떠났다' 조개 글자의 해석은 이래. '돌아온 위대한 흰고래가 침묵의 바다를 영원히 떠났다.' 글자는 짧지만 뜻은 길지. 이 조개 글자는 세상에 단 10개밖에 없어. 게다가 그 뜻이 비장하잖아. 그래서 값이 400억이나 하지만.

하지만 그런 숫자에 현혹되지는 않았으면 좋겠어. 당신이나 당신 인터뷰를 보는 독자들이나. 이 일을 하다 보면 그런 큰 성공보다는 작은 아름다움을 발견하는 순간이 더 좋거든. 당장 지금 여기를 보자고. 여기 눈앞에 펼쳐져 있는 모래밭에 조개들이 뭐라고 써 놨는지 읽어 줄까?

비다. 엄마. 하늘이 파래. 나도. 하늘이 파래. 졸려. 엄마. 졸려. 하늘이 파래. 나도. 나도. 나도. 나도. 엄마. 하늘이 파래. 나도. 하늘이 파래. 차가워. 차가워. 졸려. 아야. 비다. 차가워. 하늘이 파래. 끼야. 졸려. 아야. 졸려. 야. 비다. 야. 차가워. 졸려. 하늘이 바람. 엄마. 하늘이 파래. 하늘이 파래. 졸려. 엄마. 나도. 끼야. 졸려. 나도. 졸려. 엄마. 졸려. 하늘이 파래. 나도. 비다. 비다. 비다. 차가워. 졸려. 비다. 비다. 야. 끼야. 나도. 나도. 하늘이 파래. 차가워. 차가워. 졸려. 아야. 비다. 나도. 나도. 차가워. 하늘이 파래. 비다. 졸려. 엄마. 끼야. 비다. 나도. 하늘이 파래. 비다. 비다. 나도. 하늘이 파래. 하늘이 파래. 아야. 아야. 아야. 하늘이 파래. 나도. 나도. 엄마. 하늘이 파래. 야. 야. 하늘이 파래. 비다. 비다. 하늘이 파래. 하늘이 파래. 아야. 아야. 비다. 차가워. 졸려. 비다. 비다. 야. 졸려. 하늘이 파래. 야. 야. 끼야. 비다. 나도. 끼야. 졸려. 졸려. 나도. 나도. 야. 비다. 야. 차가워. 졸려. 하늘이 바람. 나도. 나도.

아, 그리고 이건, '별이 아름다워.' 이건, '조개가 아름다워.'

길다고 그냥 넘기지 말고 이 수첩에 옮겨 적어 놓은 걸 하나씩 하나씩 다시 천천히 읽어 봐. 그러면서 상상을 하는 거야. 이 바닷가에서 무슨 일이 일어났을지.

어때? 얘들 말하는데 욕심 같은 거 끼워 넣고 싶지 않잖아. 얘들이 하늘 파란 건 어떻게 아냐고? 별이 예쁜 건 어떻게 아냐고? 몰라. 그냥 언제부턴가 그렇게 읽으라고 전해 내려왔어. 그렇게 읽는 거래. 조개들이 스스로 말하는 건지, 바다가 자기 말을 조개껍데기에 새기는 건지 그건 아무도 몰라.

하하. 우리 영감쟁이가 중국에서 발견한 조개 화석 군락이 있는데, 그중에 영감쟁이가 제일 좋아하는 대목이 어딘지 알아? 이거야.

나도. 간지러. 나도.

근사하지 않아? '간지러' 조개 하나에 '나도' 840개. 상상해 봐. 그 잔잔한 바다에 무슨 일이 일어났을지. 파도 하나. 그렇겠지? 그건 바람의 말일까, 바다의 말일까.

아, 저기 파도 지나간 다음에 모래 속으로 휙 숨고 있는 소라게가 등에 무슨 말을 짊어지고 있는지 읽어 줄까? 자, 봐. 어디 보자. 어, 애도 '나도'다. 하하하하하. 뭐 겨우 '나도' 같은 걸 배달하려고 그 무거운 걸 여기까지 짊어지고 왔냐? 네놈들은 거기에 뭐가 적혀 있는지 읽을 줄도 모르냐? 멍청한 놈들.

아, 잠깐만. 뒤로 저쪽에 좀 숨어 있다가 오자. 어? 저기 저 모자 쓴 인도 남자 있잖아. 어. 저 사람 안 만나려고. 에이, 빚은 무슨.

돌고래 보트 하는 친구야. 모래밭에 널려 있는 배들, 고기잡이배가 아니고 관광객들 실어다가 바닷가에 나갔다 오는 거거든. 아니, 나 맨 처음에 온 날부터 저 친구가 호객하러 왔는데, 내가 다음에 가자 그랬거든. 그랬더니 만날 때마다 다음에 언제 가냐고, 오늘은 준비가 됐냐고 물어보는데, 계속 다음에 가자고 그랬지.

그러다가 어느 날 갑자기 바다에 나가 보고 싶다는 생각이 들어서 우리 연구원들하고 같이 가 볼 생각에 저 녀석을 찾았는데, 마침 그날 따라 애가 또 없네. 그래서 옆에 있던 '바부'라는 쌍둥이들 보트를 탔는데, 물론 아무리 가도 애들 말처럼 돌고래가 물 위로 튀어 오르는 건 안 보이더구만.

그래도 나름 재미있게 타고 바닷가로 돌아왔더니, 아 글쎄 이 녀석이 갑자기 딱 나타나서 이게 어떻게 된 일이냐고 막 따지잖아. 바부 쌍둥이들도 그렇고 다들 민망해하는데 나도 뭐 할 말이 있어야지. 그래서 다음에는 너랑 가자 그랬더니, 애가 착한 건지 멍청한 건지 아니면 장삿속인지, 볼 때마다 배 타라고 난리네. 지구 문명의 신비를 밝히는 연구 팀의 일상사치고는 좀 그렇지?

응? 아, 그건 모르고 온 거야? 우리 프로젝트가 뭔지 몰라? 이 양반이, 그럼 무슨 이야기가 듣고 싶어서 여기까지 찾아온 거야? '그들이 왔어' 조개 말이야. 몰라? 이 바닥에서는 난린데. 사람들이 조개 읽는 법이 외계에서부터 왔다고 하는 데는 다 이유가 있어. 이 나라에 전수되어 오는 조개 읽는 법에 '그들'을 지칭하는 어휘가 있는 거야.

그래도 주류에서는, 이게 외계인이 실제로 있었기 때문에 포함된 어휘가 아니라 신화에서 파생된 것 정도로만 생각하고 있었거든. 실제 대응물이 있는 어휘가 아니고, 상징적인 어휘라고 생각한 거지. 그것도 대단하긴 해. 관념적인 어휘는 그만큼 드무니까. 조개들의 어휘는 일단 전부 대응물이 있다고 보는 게 정설이라. 말하자면 주류 집단이 인정하는 예외라고나 할까.

그만큼 드물어야 하는데, 어느 바닷가에서 애들이 무더기로 튀어나와 버린 거야. 그래서 사람들이 마음먹고 덤벼들다 보니까 이번에는 '그들이 떠나' 조개가 튀어나온 거지. '그들이 왔어'가 발견된 그 장소에서. 그래, 맞아. 상징적인 조개라고만 생각했던 애들이 실제로 막 튀어나오는 것 자체가 원래 신기한 일인데, 거기에 이 '그들이 떠나' 조개가 태어난 시점 자체가 워낙 최근이었으니 떠들썩할 수밖에. 대박 노리고 달려드는 놈들이 많은 모양이야. 우리 영감님도 재주 좋게 그 눈먼 무리에 끼었더라고.

그래서, 응? 그런가? 아무래도 좀 그렇지.

그래. 그렇게 해석할 수도 있겠지. 앞뒤가 딱딱 맞기는 해. 하지만 꼭 그렇게 봐야 되는 건지 어떤지는 모르겠어. 외계인이라. 하하. 설마. 누나가 외계인이기야 했겠어?

맞아. 내가 이 일을 시작한 동기 자체는 그래. 내 조개가 무슨 뜻을 지니고 있는지 알아내는 게 첫 번째 목적이기는 했지. 하지만 지금은 말이야. 아까도 말했듯이 이렇게 아무렇게나 널려 있는 애들을 읽어 내는 것으로도 충분히 의미가 있어.

이건 말이지, 영어처럼 긴 문장이 안 되면 소통이 안 되는 그런 종류의 언어가 아니거든. 짧은 단어만 이해할 수 있으면 애들이 뭐라 그러는지 놓치지 않고 속속들이 알아들을 수가 있어. 바닷가 모래밭을 포클레인으로 긁어다가 조개들만 골라서 해독 장치에 좌르르 쏟아 버리는 놈들은 절대 이해 못 하는, 애들만의 소소한 뭔가가 있다고. 이 일은 말이야, 팔로렘 해변에 서식하는 조개 중 '나도' 조개는 몇 퍼센트다, 이런 거 밝히려고 하는 작업이 아니야. 애들 하나하나가 하고 있는 이야기들이 다 생생하게 느껴져야 하는 거라고. 그러니까 처음 발을 디디게 된 동기가 어쨌건 그게 다는 아니지.

아, 물론 그래. 하지만 나로서는 내 조개가 그렇게 어마어마하게 비싼 조개인지 모르고 시작한 일이니까. 우리 영감님, 내가 처음 그 조개를 내밀었을 때 갖고 튀지 않은 게 얼마나 고마운지 몰라. 그 양반, 그게 무슨 뜻인지는 몰랐어도 엄청나게 값나가는 물건이라는 건 한눈에 알아봤을 거니까. 그리고 그때 영감님이 만약 그 조개껍데기의 현금 가치를 말해 줬으면 나는 지금처럼 이 일을 좋아할 기회가 한 번도 없었을지도 몰라.

누구는 그렇게 묻더라. 누나가 왜 그렇게 어마어마하게 비싼 물건을 나한테 양도했을까 하고. 어마어마한 보물을 양도받은 심정이 어

떠나고. 흠, 글쎄, 2년을 가르쳐 보니 이놈은 도저히 혼자 힘으로는 잘 먹고 잘 살 가능성이 없겠다고 생각했던 걸까? 하하하.

하지만 말이야. 그런 식으로 묻지는 말아 줬으면 좋겠어. 누나가 그 비 오는 날 혼자 길을 떠나면서 나한테 쥐어 준 게 그저 시가 700억 짜리 희귀 조개껍데기였다는 식으로는 말이야. 미안하지만 나는, 그 조개도 역시 그냥 여기 이 모래밭에 널려 있는 조개껍데기들처럼 하고 싶은 말 한마디를 세상에 남기고 떠나가는 한 마리 조개일 뿐이라고 생각해. 누나가 나에게 남겨 준 한 글자짜리 메시지지. 나는 그냥 그게 무슨 의미일지가 너무 궁금한 나머지 나를 눌러싸고 있던 행복한 일상의 껍데기를 깨고 여기 이 고아주 해변까지 날아와서는, 웃기는 모자를 쓴 보트 주인의 눈을 피해 숨어 다니기나 하는 보잘것없는 인생일 뿐이야.

물론 조개들은 거짓말을 못 해. 그러니까 '그들이 왔다', '그들이 떠났다' 조개들이 하는 말도 사실이긴 할 거야. 그러니까 '그들'을 어떻게 해석하느냐에 따라 그 말이 진실이 되는 수도 있겠지. 외계인이 이 동네 근처를 왔다 갔다 한다는 가설 말이야. 그게 사실이라면 은경 누나 이야기도 더 잘 이해가 되기는 하겠지.

하지만 그게 사실로 밝혀져서 누나가 준 조개껍데기 값이 두 배가 되건 세 배가 되건, 내가 이걸 팔아먹을 리는 없지 않겠어? 안 팔 건데 값이 무슨 상관이야."

그는 그렇게 말하면서 세상에서 가장 유명한 조개껍데기를 손바닥

위에 올려놓았다. 이 분야 종사자를 제외하면 조개껍데기가 하는 말을 읽어 낼 수 있는 사람은 거의 없다. 그리고 전 세계적으로 이 분야 종사자의 숫자는 이제 막 500명을 넘어섰을 뿐이다. 나는 그에게, 그 조개껍데기의 뜻을 다시 한번 직접 읽어 달라고 조심스럽게 부탁했다. 그가 사뭇 진지한 표정으로 말했다.

"'푸른 영혼을 가진 전사가 자신이 떠나온 별의 부름을 받아, 다시는 돌아오지 못할 마지막 전쟁에 나서다.'

하아, 감동적이지? 그런데 말이야, 여기에 쓰여 있는 말이 사실이 아니었으면 좋겠어. 대신 언젠가 꼭 돌아오겠다는 이야기였으면 얼마나 좋았을까. 그런데 다시는 못 온다는 이야기였다니. 에휴, 나는 그게, 좀 그래."

작품 출처

• 최진영, 「돌담」 『겨울방학』, 민음사 2019

• 김기창, 「약속의 땅」 『기후변화 시대의 사랑』, 민음사 2021

• 김중혁, 「심심풀이로 앨버트로스」 『현대문학』, 2018년 11월호

• 김애란, 「노찬성과 에반」 『바깥은 여름』, 문학동네 2017

• 임솔아, 「신체 적출물」 『눈과 사람과 눈사람』, 문학동네 2019

• 이상욱, 「어느 시인의 죽음」 『기린의 심장』, 교유서가 2021

• 조시현, 「어스」 『AnA Vol.01』, 은행나무 2021

• 배명훈, 「조개를 읽어요」 『예술과 중력가속도』, 북하우스 2016